PETITS CLASSIQUES

LAROUSSE

Collection fondée par Félix Guirand, Agrégé des Le

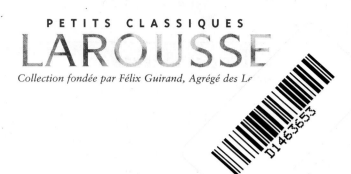

Tristan et Iseut

BÉROUL, THOMAS, MARIE DE FRANCE

récits du XIIe siècle

Édition présentée,
annotée et commentée
par
Bénédicte MILLAND-BOVE
Ancienne élève de l'ENS
de Fontenay-Saint-Cloud
Agrégée de Lettres modernes

Traduction adaptée à partir de la traduction
en français moderne de Gabriel BIANCHIOTTO
© Larousse, 1974

Avant d'aborder le texte

Tristan et Iseut
BÉROUL, THOMAS, MARIE DE FRANCE

Comment lire l'œuvre

Avant d'aborder le texte

Tristan et Iseut

Genre : récits en vers, écrits au XIIe siècle, qui racontent les amours de Tristan et Iseut.

Langue : ancien français (les textes sont ici présentés dans une traduction en français moderne).

Auteurs : Béroul, Thomas, Marie de France. L'auteur de la *Folie Tristan* d'Oxford est anonyme.

Structure :

– une suite d'épisodes qui retracent la vie de Tristan et Iseut en suivant l'ordre chronologique pour *Le Roman de Tristan* de Béroul et le *Roman de Tristan* de Thomas ;
– des récits brefs construits autour d'une seule aventure (*Lai du Chèvrefeuille* et *Folie Tristan* d'Oxford).

> **Lai :** ce terme désignait au départ un court poème destiné à être chanté et accompagné à la harpe (par exemple, dans le roman de Thomas, Iseut interprète à la harpe le lai de Guiron). Puis on appelle « lai » un récit en vers plus développé (aux dimensions d'une nouvelle actuelle) qui n'est plus lié à un accompagnement musical.

Lieu de l'action : la Cornouailles, au sud de l'Angleterre.

Époque de l'action : une époque mythique, située dans un passé indéterminé (le temps du roi Arthur chez Béroul), mais qui emprunte ses traits à l'époque des auteurs (le XIIe siècle).

Principaux personnages : Le roi Marc de Cornouailles ; la reine Iseut-la-Blonde, sa femme ; Tristan, son neveu.

Sujet : l'amour adultère entre Tristan et Iseut, les obstacles à leur passion, la suite d'épreuves qu'ils subissent avant d'être enfin réunis dans la mort.

Conservation des textes : 1 manuscrit pour Béroul, 5 pour Thomas, 2 pour Marie de France et 1 pour la *Folie* d'Oxford. Les romans de Béroul et Thomas sont incomplets (il nous reste 4 500 et 3 000 vers de leurs romans respectifs). On a récemment retrouvé, dissimulé dans la couverture d'un manuscrit, un fragment jusque-là inconnu du roman de Thomas.

Manuscrit : jusqu'en 1454, date de l'invention de l'imprimerie, tous les livres étaient copiés à la main (d'où leur nom de manuscrits), sur du parchemin (peau de mouton, de veau ou de chèvre traitée à cet usage). On a calculé que pour fabriquer un livre de 400 pages aux dimensions d'un cahier actuel, il fallait environ 50 animaux. Ces livres étaient donc très coûteux et le parchemin usagé était très souvent réutilisé et gratté pour écrire autre chose. Notre connaissance de la littérature médiévale tient aux hasards de la conservation de ces livres qui ont échappé aux destructions volontaires ou accidentelles (les incendies, par exemple).

Chevalier combattant un dragon.
Manuscrit, Bibliothèque nationale, Paris.

Le contexte social des XI-XIIᵉ siècles : guerriers et paysans

La société médiévale se conçoit à partir du xie siècle comme divisée en trois classes répondant à trois fonctions complémentaires : les hommes d'Église (*oratores*) prient pour le salut de tous, les guerriers (*bellatores*) se battent pour protéger la société, tandis que les travailleurs (*laboratores*) produisent de quoi entretenir les deux autres classes.

Mais cette division idéale, œuvre d'intellectuels, rend imparfaitement compte de la réalité sociale du Moyen Âge. La véritable coupure se trouve en réalité entre la masse des paysans, qui forme 95 % de la population, et la minorité de guerriers qui les domine par la force, car ils sont assez riches pour posséder des armes et des chevaux. C'est parce qu'ils savent se battre à cheval qu'on les appelle « chevaliers ». La force militaire leur permet d'imposer aux paysans de leur domaine de lourdes redevances qui servent à nourrir leur famille et leurs serviteurs armés et à fortifier les châteaux où ils habitent. Les ecclésiastiques sont issus des mêmes familles et partagent l'essentiel des intérêts matériels des guerriers, même si certains s'efforcent d'adoucir la brutalité de leur entourage en leur rappelant les vertus chrétiennes de charité et d'obéissance à Dieu. Leur influence est d'autant plus grande que la religion imprègne les mentalités médiévales : les heures sont rythmées par la sonnerie des cloches des églises, les jours par les fêtes des saints, les saisons par les grandes fêtes religieuses comme Noël, la saint Jean, la Pentecôte ou l'Ascension. Personne ne met en doute l'existence de Dieu, ni des tortures de l'Enfer. L'avis des ecclésiastiques, spécialistes de la prière et des rapports entre Dieu et les hommes, était souvent écouté. Ils surent aussi utiliser leur influence morale pour lancer des croisades destinées à délivrer le tombeau du Christ, à Jérusalem.

Le petit peuple apparaît peu dans les romans de Tristan, car il est généralement méprisé par la classe dirigeante d'où sont issus les auteurs et le public de la littérature médiévale. En revanche, l'évocation des rapports entre guerriers, régis par la féodalité, est omniprésente dans ces textes.

> **Ecclésiastiques** : catégorie regroupant tous les hommes d'Église, quelle que soit leur fonction (prêtres, moines ou simples clercs). Ils portent la tonsure et sont au service de Dieu.
> **Laïcs** : groupe comprenant tous ceux qui ne sont pas ecclésiastiques, qu'ils soient princes, chevaliers, artisans ou paysans.

Le contexte politique des XIᵉ-XIIᵉ siècles : la féodalité

La féodalité est un système d'organisation politique qui structure les rapports au sein de l'élite guerrière. Elle se caractérise par une relation d'homme à homme : le vassal jure fidélité à son seigneur lors de l'hommage, et reçoit en échange un fief (c'est-à-dire le don d'une terre, ou parfois d'argent).

Ce système se généralise à partir du XIᵉ siècle car le roi, trop faible pour administrer efficacement son royaume, délègue aux princes, par ce système d'hommage, son autorité, afin qu'ils l'exercent en son nom dans les provinces. Mais les difficultés de communication et de transport sont telles que ces princes s'avèrent eux-mêmes incapables de gouverner leur principauté et délèguent à leur tour une part de leur autorité à des arrière-vassaux qui leur doivent hommage et fidélité en échange d'un fief taillé dans leur principauté. Il arrive que ces arrière-vassaux émiettent à leur tour leur domaine en en concédant une partie à d'autres vassaux, aux mêmes conditions. Cette délégation de pouvoir en cascade aboutit à une dispersion de l'autorité politique : les arrière-vassaux ne doivent fidélité qu'à leur seigneur direct et n'ont aucun compte à rendre au roi ; en outre il arrive fréquemment que ces petits vassaux possèdent plusieurs fiefs, obtenus de seigneurs différents, ce qui réduit leur devoir de fidélité puisqu'ils sont en mesure de choisir à qui ils vont obéir, selon les circonstances. La féodalité des XIᵉ-XIIᵉ siècles aboutit à ruiner le pouvoir de l'autorité centrale au profit de **petits** vassaux qui ont tous les pouvoirs dans leur domaine : ils ont la force armée, la terre, la justice, l'autorité politique. Ces petits seigneurs passent leur vie en guerres incessantes contre leurs voisins et n'obéissent plus à personne : c'est l'anarchie féodale. Mais cette situation évolue à la fin du XIIe siècle, moment de la rédaction de *Tristan et Iseut*.

Le contexte politique de la fin du XIIe siècle : la monarchie féodale

C'est au cours du XIIe siècle que les rois parviennent à reprendre le contrôle de leur royaume. Après avoir combattu les petits seigneurs qui défient leur autorité, ils rétablissent peu à peu leur pouvoir politique dans toutes leurs possessions. Auréolés du prestige de leur titre et de leur sacre, forts des ressources que leur offre leur domaine récemment pacifié, ils imposent aux autres seigneurs un hommage prioritaire (ou hommage-lige), par lequel ils organisent la société politique de leur époque en une pyramide dont ils sont le sommet. En cas d'hommages multiples, la fidélité au roi passe toujours avant les autres, quel que soit le rang du vassal.

Cette nouvelle organisation des rapports politiques suscite des tensions. Les plus fortes viennent des princes que le droit féodal contraint à se soumettre au roi, alors que leurs nombreuses possessions territoriales font d'eux des personnages aussi puissants que lui. C'est ainsi que Henri II Plantagenêt (roi d'Angleterre de 1154 à 1189) prête hommage au roi de France pour le comté d'Anjou ainsi que le duché de Normandie, hérités de ses parents, et pour le duché de Guyenne, acquis par son mariage avec Aliénor d'Aquitaine. Mais il hérite également de la couronne d'Angleterre ; c'est le seul territoire où il est totalement indépendant. Ce prince est donc formellement subordonné au roi de France pour la moitié de ses possessions, et souverain dans l'autre. Surtout, son domaine, qui s'étend de l'Angleterre aux Pyrénées, est bien plus vaste que le domaine royal, ce qui fait de lui un personnage très puissant et un vassal indocile. Henri II Plantagenêt entretient une cour fastueuse où s'épanouit la littérature en langue romane, bien plus brillante que celle des rois de France, encore austère à cette époque. Tout le Moyen

Âge est marqué, à partir du XIIᵉ siècle, par cette rivalité politique entre la dynastie Plantagenêt et les Capétiens. Ce décalage entre le droit et la réalité fut une source de conflit permanent entre les deux rois.

Mais dans la majorité des cas, le droit féodal permet de renforcer les pouvoirs des rois sur leurs vassaux moins puissants. On passe alors peu à peu de l'anarchie à la monarchie féodale. Le roi y gagne en puissance, le peuple en paix, mais les seigneurs y perdent en indépendance politique, ce qui les rend souvent nostalgiques de l'ancien temps, où ils étaient les conseillers tout-puissants de rois faibles qui ne pouvaient leur imposer leur volonté. Ce nouveau contexte politique trouve un écho dans *Le Roman de Tristan* de Béroul à travers l'importance du thème de la fidélité ou de la trahison des grands vassaux envers le roi Marc. En s'acharnant sur Tristan, principal défenseur du royaume, les barons servent bien plus leurs intérêts propres que ceux du roi et constituent une menace pour l'intégrité de la Cornouailles.

La renaissance intellectuelle et artistique du XIIᵉ siècle

Siècle de renaissance du pouvoir royal, le XIIᵉ siècle est aussi celui de la renaissance des arts et des lettres. C'est à cette époque que la croissance démographique et économique commencée au xie siècle porte ses fruits, dans un contexte de paix royale. Les grands propriétaires terriens, qu'ils soient évêques, abbés ou princes, voient leurs revenus croître à mesure que les terres défrichées et exploitées s'étendent. Ils utilisent une part de ces ressources à accroître leur prestige (pour les laïcs), ou le consacrent à Dieu (pour les ecclésiastiques). Les premiers entretiennent des écrivains qui animent et distraient leur cour, achètent des livres précieux, embellissent leurs palais, les seconds rebâtissent leur église ou leur monastère dans un style nouveau, l'art gothique.

En effet la fin du XIIᵉ siècle est marquée par la naissance de l'art gothique, qui caractérise aussi bien l'architecture que la sculpture ou la peinture. Dans le domaine architectural, de nouvelles techniques se diffusent (arc brisé, croisée d'ogives, arcs-boutants latéraux...) qui permettent de lancer des voûtes à des hauteurs jamais atteintes auparavant. Par ailleurs le mur perd sa fonction de soutien de la voûte au profit des piliers, ce qui permet d'ouvrir de grandes fenêtres, ornées de vitraux multicolores. Cet art se développe en Île-de-France, au cœur du domaine royal : les premiers édifices gothiques remarquables sont la cathédrale de Sens (construite entre 1130 et 1164) et l'église de l'abbaye Saint-Denis (1135-1144), où sont enterrés les rois de France. L'église Notre-Dame de Paris est achevée en 1200. Par sa majesté et par les dimensions immenses qu'il autorise, cet art séduit tant les hommes du XIIe siècle qu'il se répand dans toute l'Europe, et se diffuse des édifices religieux aux châteaux et palais.

Par ailleurs l'enseignement et les études connaissent un renouveau sous la direction des évêques et des abbés. Leur succès est tel que les maîtres et les écoliers (c'est ainsi qu'on désignait les professeurs et les étudiants), soucieux d'acquérir plus d'indépendance dans l'organisation de leur enseignement, s'affranchissent de la tutelle des évêques pour fonder les premières universités au début du xiiie siècle. Elles diffusent une culture savante et cléricale portant surtout sur la théologie, le droit et la médecine. Mais c'est au sein des cours princières que s'épanouit la culture profane qui a donné naissance à la littérature française.

Naissance de la littérature française et du « roman »

Le XIIe siècle connaît en effet une véritable révolution culturelle. Jusqu'alors, seules les œuvres écrites en latin étaient considérées comme dignes de passer à la postérité. La littérature écrite était donc une littérature savante, destinée aux clercs, seuls capables de comprendre le latin. Le gouffre qui existait entre cette littérature écrite par et pour des hommes d'Église et la littérature orale qui était adressée aux laïcs (et dont nous ne connaissons rien, puisqu'elle n'était pas écrite) paraissait infranchissable.

Et pourtant, au XIIe siècle, sous l'influence des riches cours princières et à la demande des chevaliers, qui désirent avoir une littérature qui reflète leurs valeurs et leur mode de vie, on commence à fixer par écrit une littérature en langue vulgaire. Au sud de la France, où l'on parlait la langue d'oc, on écrit des chansons d'amour, dans lesquelles le poète ressasse à l'infini le désir toujours insatisfait qui le porte vers sa dame (c'est la *fin'amor*). Au Nord, domaine de la langue d'oïl, c'est surtout la littérature narrative qui se développe. Dès le début du siècle (sans doute vers 1100), on met par écrit *La Chanson de Roland*, qui raconte les exploits des guerriers de Charlemagne, et notamment de son neveu. C'est vers 1150 qu'apparaissent des textes qui commencent à mêler au récit des exploits guerriers l'évocation de la vie courtoise et des sentiments amoureux, récits dans lesquels on a reconnu les ancêtres du « roman » au sens moderne (récit de fiction).

Au Moyen Âge, le terme « roman » désigne d'abord la langue vulgaire, celle que parlent les laïcs, par opposition au latin. L'expression « mettre en roman » signifie d'abord « traduire du latin en roman ». C'est ainsi qu'à partir de 1150 sont adaptées en français les œuvres phares de l'antiquité latine (*Roman de Thèbes, de Troie, d'Énéas*). De même, un clerc normand traduit du latin *L'Histoire des rois de Bretagne* de Geoffroy de Monmouth. Il inaugure ainsi le succès de ce que l'on a appelé la « matière de Bretagne », c'est-à-dire l'ensemble des récits composés autour du roi Arthur, de Tristan et Iseut, et plus largement des légendes celtiques. Pour un clerc médiéval, écrire sur la matière de Bretagne, sur ces légendes orales dont on ressentait encore sans doute obscurément l'origine païenne et populaire, était un défi sans doute encore plus grand que de vulgariser les grandes œuvres latines.

Peu à peu, le terme « roman » est utilisé pour désigner les œuvres elles-mêmes écrites dans cette langue : Chrétien de Troyes, dans le prologue du *Conte du Graal* (vers 1180) déclare qu'il « commence un roman ». Ces œuvres présentent un certain nombre de caractéristiques communes qui les différencient de celles qui relèvent du genre de la chanson de geste. Elles sont destinées à être lues à haute voix devant un cercle restreint (et non plus chantées ou récitées). Au XIIᵉ siècle, elles sont toutes écrites en vers de huit syllabes et se présentent comme de longs récits qui suivent l'ordre chronologique. Elles reprennent les valeurs guerrières de la chanson de geste, mais en les transposant sur un plan plus individuel. Surtout, elles développent des intrigues amoureuses et donnent une place beaucoup plus importante aux personnages féminins.

Tous les poèmes de Tristan et Iseut présentés ici sont des romans au sens médiéval du terme (ils sont écrits en roman) mais seules les œuvres de Béroul et Thomas se rapprochent de ce que nous appelons roman (et encore, ces romans sont en vers, et le resteront jusqu'au XIIIᵉ siècle qui voit la naissance de la prose narrative).

> **Langue d'oc, langue d'oïl :** dans la France du Moyen Âge, tout le monde ne parlait pas la même langue. On distingue les parlers des gens du nord et du sud de la Loire par leur manière de dire « oui » : « oc » au sud, « oïl » au nord.

Qu'est ce qu'un « auteur » au Moyen Âge ?

Des auteurs qui nous échappent

On sait peu de choses sur les auteurs qui ont « conté de Tristan ». On connaît les noms de Béroul, Thomas et Marie de France, parce qu'ils ont choisi de se nommer dans leur texte, à des moments stratégiques, généralement au début ou à la fin de l'œuvre. Ce n'est pas le cas de l'auteur de la *Folie Tristan* d'Oxford, resté anonyme. On parle de *Folie Tristan* d'Oxford, parce que le manuscrit par lequel nous la connaissons est conservé dans la bibliothèque de cette ville.

À travers les caractéristiques de la langue et les allusions historiques, on sait que tous ont dû écrire dans la deuxième moitié du XIIᵉ siècle. À cette époque, les auteurs étaient pour la plupart des clercs, c'est-à-dire des lettrés se rattachant à la classe des hommes d'Église. Ils fréquentaient les cours princières, écrivaient pour un grand seigneur et dépendaient de ce mécène pour vivre. Ainsi, Marie de France dédie ses *Lais* à Henri Plantagenêt, roi d'Angleterre. On pense que le roman de Thomas a dû être également écrit au sein de cette cour anglaise, cour brillante et cultivée où le français était la langue commune aux grands nobles d'origine française.

Des œuvres qui échappent à leurs auteurs

Les modes de diffusion des œuvres littéraires au Moyen Âge ne ressemblent guère à ceux que nous connaissons aujourd'hui. Les œuvres étaient faites pour être récitées ou lues à haute voix devant un assez large public. Ces séances devaient ressembler à des représentations théâtrales, où celui qui lisait et récitait (appelé parfois jongleur) était libre d'adapter le texte aux désirs de son public. Si les textes étaient écrits, c'était avant tout pour assurer leur mémorisation et leur transmission. Ceux qui recopiaient les manuscrits (les copistes) avaient une liberté considérable. Ils pouvaient à leur guise adapter, résumer ou au contraire développer ce qui leur plaisait, sans avoir aucun compte à rendre à l'auteur.

Différentes versions d'une même histoire

De même, la notion de plagiat n'existait pas au Moyen Âge, et chaque auteur pouvait, à sa guise, reprendre une histoire déjà écrite pour en donner une nouvelle version. Ainsi, Thomas et Béroul racontent tous deux les aventures de Tristan et Iseut, mais ils choisissent de donner une orientation différente à leur récit. Les récits qui sont présentés ici n'ont pas été conçus pour figurer tous ensemble et dans cet ordre dans un même livre, mais ils étaient, déjà au Moyen Âge, destinés à être lus les uns par rapport aux autres, par des lecteurs-auditeurs capables d'apprécier les variations apportées par chaque auteur à une légende bien connue.

> **Auteur :** la personne réelle qui invente le texte et l'écrit.
> **Copiste :** celui qui était chargé de recopier le manuscrit.
> **Plagiat :** de nos jours, un texte publié est la propriété de son auteur. Toute personne qui le recopie et le fait passer pour sien commet une fraude appelée plagiat.

HISTOIRE	LITTÉRATURE
	Avant 1127 *Chanson de Roland.* Chansons d'amour en langue d'oc (Guillaume IX d'Aquitaine, le plus ancien des troubadours). **1135** *Historia Regum Britanniae (Histoire des rois de Bretagne)* de Geoffroy de Monmouth.
1137-1180 Règne de Louis VII, roi de France. **1137** Louis VII épouse Aliénor, duchesse d'Aquitaine et comtesse de Poitou. **1147-1149** 2ᵉ croisade, menée par Louis VII, roi de France, et Conrad III, empereur d'Allemagne. Ils échouent devant Damas et rembarquent en 1149. **1150** Louis VII répudie Aliénor d'Aquitaine.	**1150*** *Roman de Thèbes*, le plus ancien des romans « antiques », écrit sans doute à la cour d'Angleterre.
1152 Aliénor d'Aquitaine épouse Henri Plantagenêt, comte d'Anjou et duc de Normandie. **1154** Henri II Plantagenêt devient roi d'Angleterre (meurt en 1189).	
1163-1196 Construction de Notre-Dame de Paris (nef et chœur).	**1155** *Roman de Brut* de Wace, offert à la reine Aliénor. **1160*** *Roman d'Énéas* (retrace les aventures d'Énée à partir de *L'Énéide* de Virgile). **1165*** *Roman de Troie* de Benoît de Sainte-Maure (clerc de la cour d'Henri II Plantagenêt), roman antique relatant la guerre de Troie. **1170*** *Lais* de Marie de France (dont le *Lai du Chèvrefeuille*). **1170*** *Érec et Énide* de Chrétien de Troyes.

* La présence d'un astérisque accolé à une date indique que cette date est hypothétique.

HISTOIRE	LITTÉRATURE
1173 La guerre reprend entre Louis VII, roi de France, et Henri II, roi d'Angleterre.	**1170-1173*** *Roman de Tristan* de Thomas, dédié à Aliénor d'Aquitaine. **1170-1181*** *Roman de Tristan* de Béroul (roman peut-être écrit après celui de Thomas mais qui fait état d'une version plus ancienne de la légende). **1170-1190** *Tristan et Isolde* d'Eilhart d'Oberg. **1175** Branche la plus ancienne du *Roman de Renart*. **1176*** *Cligès* de Chrétien de Troyes. **1176-1181** Chrétien de Troyes écrit en même temps *Yvain ou le Chevalier au Lion* et *Lancelot ou le Chevalier de la Charrette*, à la cour de Marie de Champagne (fille aînée de Louis VII et Aliénor d'Aquitaine).
1180 Philippe Auguste devient roi de France (meurt en 1223).	
1187 Prise de Jérusalem par le sultan Saladin. **1189** Richard Cœur de Lion, roi d'Angleterre (meurt en 1199). **1190-1192** 3ᵉ croisade (Frédéric Barberousse, Philippe Auguste, Richard Cœur de Lion).	**1182-1183** *Perceval ou le Conte du Graal*, de Chrétien de Troyes. **1180-1190*** *Tristan et Isolde* d'Eilhart d'Oberg. **1190*** *Folie Tristan* d'Oxford.
1202-1204 4ᵉ croisade et pillage de Constantinople par les croisés. Conquête de la Normandie par Philippe Auguste sur Jean sans Terre. **1214** Bataille de Bouvines. **1223** Mort de Philippe Auguste. Début du règne de Louis VIII. **1227** Régence de Blanche de Castille pour Louis IX, futur Saint Louis.	**1200-1210*** *Tristan und Isolde* de Gottfried de Strasbourg. **1215-1230** 1ʳᵉ rédaction du *Tristan en prose*. **1226** *Tristram Saga* de Frère Robert. **Fin du XIIIᵉ siècle** *Sir Tristrem* anglais.

De la légende aux romans

Tristan était sans doute, à l'origine, le nom d'un héros picte, peuple d'Écosse du Nord. Autour de ce héros s'est formée une légende qui s'est diffusée dans tout le domaine celtique (Irlande, Pays de Galles, Cornouailles, Bretagne) et qui a pu être influencée par d'autres récits légendaires. Ainsi, on trouve des éléments très proches dans la légende irlandaise de *Diarmaid et Grainne* (légende très ancienne puisqu'on en trouve déjà des traces au Xe siècle), qui raconte comment Grainne, mariée au vieux roi Finn, amoureuse de son neveu Diarmaid, obtient grâce à une contrainte magique qu'il s'enfuie avec elle. Aucun texte celtique n'a pu cependant être identifié comme source directe de la légende de Tristan et Iseut, et on a pu avancer l'hypothèse d'autres influences (roman persan, mythes gréco-latins). Certains motifs, comme le combat contre le dragon, appartiennent d'ailleurs à l'imaginaire populaire en général.

Au début du XIIe siècle, la légende devait circuler, oralement ou par écrit, dans une aire assez vaste, débordant largement les limites du domaine celtique (le poète Cercamon, qui vivait dans le sud de la France, y fait allusion vers 1135). Béroul, Thomas et Marie de France font tous allusion à des récits oraux ou écrits, dont ils se seraient librement inspirés mais dont on a complètement perdu la trace.

Ainsi, les auteurs français du XIIe siècle ont sans doute utilisé les éléments mis à leur disposition par une légende d'origine celtique. C'est cependant à eux que revient le mérite d'avoir donné une forme cohérente à l'histoire, de l'avoir recomposée et ordonnée pour lui donner un sens nouveau, particulièrement parlant pour la société médiévale, mais qui contient également des éléments universels.

Des romans au mythe littéraire

Naissance du mythe au XIIᵉ siècle

Le succès de la légende de Tristan se marque par la multiplication des textes qui font allusion à l'histoire des deux amants ou en font le sujet principal de leur récit. La légende est en outre mise en image dans des fresques, des tapisseries, des coffrets sculptés...

Très vite, les textes se diffusent dans toute l'Europe. Entre 1170 et 1190, un poète allemand, Eilhart d'Oberg, écrit un *Tristrant*, qui nous est parvenu intact et qui est assez proche de la version de Béroul. Vers 1200-1210, un autre écrivain allemand, Gottfried de Strasbourg, entreprend une adaptation du texte français de Thomas. En 1226, Frère Robert rédige pour le roi de Norvège une version en prose norroise de l'histoire de Tristan.

Ces témoignages écrits et visuels attestent de la fascination exercée par l'histoire des deux amants. On peut dès lors parler de « mythe littéraire » : il s'agit en effet d'une histoire qui concentre et exprime de manière frappante les grandes interrogations d'une société.

En raison de sa violence et de sa force, le mythe de Tristan et Iseut a suscité au Moyen Âge à la fois une réaction de fascination et de rejet. Il posait en effet de manière très hardie et particulièrement forte les grands problèmes qui inquiétaient les membres de la communauté féodale :

– alors que le mariage était avant tout conçu comme une alliance entre deux familles, pour des raisons matérielles, et dans le but d'assurer la continuité de la famille en ayant des enfants, l'histoire de Tristan et Iseut pose le problème de la place du désir sexuel, de l'amour charnel, dans le mariage ou en dehors.

– alors que la société féodale était fondée sur le respect des engagements entre le suzerain et son vassal, l'histoire de Tristan pose l'amour comme valeur absolue, au-delà des lois et des valeurs morales.

Dès le Moyen Âge, on a senti la dimension subversive et destructrice du mythe de Tristan et Iseut. Très vite, d'autres auteurs ont inventé d'autres histoires et des héros qui proposaient des solutions plus positives aux problèmes soulevés par l'histoire des amants. Ainsi, dès le XIIᵉ siècle, un clerc appelé Chrétien de Troyes prend nettement position, dans un roman intitulé *Cligès*, contre l'amour tristanien. Dans *Érec et Énide*, il propose un modèle amoureux harmonieux, réussissant à concilier l'amour et le service de la société, et s'appuyant sur le mariage. Enfin, c'est aussi Chrétien de Troyes qui impose un autre héros comme « anti-Tristan ». En écrivant dans *Le Chevalier de la Charrette* l'histoire de Lancelot, amant de la reine Guenièvre mais qui fait de son amour une force au service de la communauté arthurienne et de son roi, Arthur, il propose une version courtoise de l'amour tristanien. Cette histoire de Lancelot, développée et réécrite au XIIIᵉ siècle dans un long roman en prose, servira à son tour de modèle à une autre version de l'histoire des deux amants, appelée *Tristan en prose* pour la distinguer des textes du XIIᵉ siècle en vers.

Cette version chevaleresque de l'histoire de *Tristan et Iseut*, où les aspects les plus subversifs ont été édulcorés, a connu un immense succès tout au long du Moyen Âge, que l'on mesure au nombre de manuscrits conservés et aux adaptations dans d'autres langues. De préférence aux œuvres de Thomas ou Béroul jugées scandaleuses, c'est cette version en prose qui a été recopiée, puis, au XVIᵉ siècle, imprimée.

Permanence du mythe après le Moyen Âge

Denis de Rougemont, dans un essai intitulé *L'Amour et l'Occident*, montre que le mythe de Tristan et Iseut a profondément influencé la conception de l'amour, le liant indissolublement à la souffrance et à la mort. Il rattache à l'histoire des deux amants de Cornouailles les nombreuses œuvres théâtrales ou romanesques qui illustrent la fatalité de la passion, depuis *Roméo et Juliette* jusqu'aux romans du XXᵉ siècle. Cependant, c'est surtout à partir du XIXᵉ siècle que le mythe de Tristan et Iseut est réapparu en tant que tel et a suscité d'autres œuvres, attestant de sa modernité.

Le XIXᵉ siècle marque une redécouverte du Moyen Âge, longtemps considéré comme une époque obscure et barbare, sans culture digne de ce nom. Des architectes comme Viollet-le-Duc restaurent les monuments architecturaux du Moyen Âge (le château de Pierrefonds ou la cité de Carcassonne par exemple). De même des érudits s'emploient à « restaurer » les textes littéraires et à les sauver de l'oubli. En 1835, les romans en vers de *Tristan et Iseut* sont réédités pour la première fois. En 1900, Joseph Bédier propose une reconstitution de la légende, qu'il a mise au point en comparant les divers textes qui nous sont parvenus.

Mais cette redécouverte savante s'accompagne d'une renaissance du mythe dans de nouvelles œuvres. De tous les écrivains et musiciens qui ont repris le mythe au XIXe siècle, c'est sans doute Richard Wagner qui, avec son opéra *Tristan und Isolde*, composé en 1859, contribue à renouveler le mythe en même temps qu'à le fixer dans toutes les mémoires. Wagner modifie les textes du Moyen Âge sur des points importants et fait passer au premier plan l'idée de « l'amour dans la mort ». Ainsi, les deux amants absorbent le philtre en croyant prendre un poison de mort. Au premier acte, dans le duo d'amour des deux jeunes gens, apparaissent déjà les thèmes musicaux de la mort des amants, sur laquelle se clôt l'opéra. La mort, vécue comme une extase amoureuse, est ressentie comme une délivrance et comme le prélude à la véritable union des amants.

Légendes : histoires qui ont pour point de départ un fait ou un personnage historique, parfois liés à un lieu précis, amplifiés par l'imagination populaire, proposés à l'admiration de tous et destinés à servir de modèles.

Mythe littéraire : de manière générale, un mythe est une histoire sacrée qui apporte des réponses aux grandes interrogations d'une société. On parle de mythe littéraire à propos des histoires qui n'ont pas de valeur religieuse mais qui ont une valeur exemplaire et fascinante et remplissent en quelque sorte pour une communauté donnée la même fonction explicative. Ces histoires peuvent être nées de la littérature (Tristan et Iseut, Don Juan, Faust) ou bien être d'anciens mythes religieux qui trouvent dans la littérature une expression nouvelle (la mythologie grecque, reprise par Ovide, par les auteurs classiques ou modernes, par exemple Phèdre ou Prométhée).

Coffret d'ivoire (XIIᵉ s.). Trésor de la cathédrale de Vannes.
Le personnage serait Tristan.

Tristan et Iseut

BÉROUL, THOMAS, MARIE DE FRANCE

récits du XIIe *siècle*

Tristan et Iseut s'embarquant, 2ᵉ moitié du XVᵉ siècle, Musée Condé, Chantilly.

RÉSUMÉ DU DÉBUT DE LA LÉGENDE

À la mort de son père, Tristan quitte son pays et se rend chez son oncle maternel, le roi Marc de Cornouailles. Il est accompagné à sa cour par un écuyer dévoué, Governal.

Tristan décide d'affronter le Morholt, un géant très cruel, à qui la Cornouailles doit remettre un tribut de 600 jeunes gens, tous les quatre ans. Il réussit à le tuer mais reçoit une blessure empoisonnée. Tristan demande à être placé tout seul dans un bateau, à l'aventure, dans l'espoir qu'il abordera un pays où il trouvera quelqu'un capable de le soigner. La mer l'entraîne en Irlande, patrie du Morholt, où fort heureusement personne ne l'identifie. Il est soigné par la reine d'Irlande, sœur du Morholt, et par la fille de celle-ci, Iseut la Blonde.

Revenu guéri en Cornouailles, Tristan reprend sa place à la cour de Marc. Les conseillers du roi sont jaloux de la renommée de Tristan. Inquiets de voir Marc sans descendance, ce qui fait de son neveu son héritier, ils poussent le roi à se marier. Marc souhaite épouser Iseut et il demande à Tristan de la conquérir pour lui.

Pour obtenir la main d'Iseut, promise au chevalier qui réussira à tuer un dragon malfaisant, Tristan se lance dans un autre combat difficile, et il est à nouveau blessé, puis soigné par Iseut. Il finit par obtenir le pardon du roi d'Irlande et le droit de ramener la jeune fille à Marc.

Sur le navire qui les ramène en Irlande, Tristan et Iseut boivent par erreur le philtre d'amour, destiné par la reine d'Irlande à sa fille et à Marc. Les deux jeunes gens deviennent amants. Arrivée en Cornouailles, Iseut épouse le roi Marc. Pour la nuit de noces, Brengain, la fidèle suivante d'Iseut, accepte de prendre sa place dans le lit conjugal et le roi Marc ne s'aperçoit pas de la trahison de son neveu et de sa femme. Incapables de renoncer à leur amour, les deux amants entretiennent à la cour une liaison clandestine mais qui ne peut échapper longtemps à l'observation des barons jaloux de Tristan.

« Et quand il vit l'épée nue qui, placée entre eux deux, les séparait... »
Coffret d'ivoire du XIVe siècle illustrant la légende de Tristan et Iseut.

LE ROMAN DE BÉROUL

LE RENDEZ-VOUS ÉPIÉ

Tristan et Iseut se sont donné un rendez-vous amoureux dans le jardin. Ils sont dénoncés par le nain Frocin, qui engage Marc à grimper dans un pin : il pourra ainsi observer et écouter les deux amants sans être vu. Mais la chance, ou Dieu, toujours du côté des amants, veulent que Tristan et Iseut s'aperçoivent de la présence du roi. Le piège se retourne alors contre Marc. Grâce à un discours habile, qui joue sur le double sens ou recourt carrément au mensonge, les deux amants vont pouvoir le convaincre de leur innocence.

Com ele aprisme son ami,
Oiez com el l'a devanci :
« Sire Tristran, por Deu le roi,
Si grant pechié avez de moi,
Qui me mandez a itel ore ! »
Or fait senblant con s'ele plore...
... « Par Deu, qui l'air fist et la mer,
Ne me mandez nule fois mais.
Je vos di bien, Tristran, a fais,
Certes, je n'i vendroie mie.
Li rois pense que par folie,
Sire Tristran, vos aie amé,
Mais Dex plevist ma loiauté
Qui sor mon cors mete flaele,
S'onques fors cil qui m'ot puccele
Out m'amistié encor nul jor !
Se li felon de cest enor

Por qui jadis vos combatistes
O le Morhout, quant l'oceïstes,
Li font acroire, ce me semble,
Que nos amors jostent ensemble,
Sire, vos n'en avez talent,
Ne je, par Deu omnipotent,
N'ai corage de druerie
Qui tort a nule vilanie.
Mex voudroie que je fuse arse,
Aval le vent la poudre esparse,
Jor que je vive que amor
Aie o home qu'o mon seignor.
E Dex ! si ne m'en croit il pas.
Je puis dire : de haut si bas !

Elle s'approche de son ami. Écoutez comme elle prend les devants :

« Tristan, pour Dieu le roi de gloire, vous vous méprenez, qui me faites venir à cette heure ! »

5   Elle feint alors de pleurer...

« Par Dieu, créateur des éléments, ne me donnez plus de tels rendez-vous. Je vous le dis tout net, Tristan, je ne viendrai pas. Le roi croit que j'ai éprouvé pour vous un amour insensé, mais, Dieu m'en soit témoin, je suis loyale[1] : qu'il
10 me frappe si autre homme que celui qui m'épousa vierge fut jamais mon amant ! Les félons[2] de ce royaume que vous avez sauvé en tuant le Morholt peuvent toujours lui faire croire à notre liaison, car c'est leur faute, j'en suis sûre : mais, Seigneur Tout Puissant, vous ne pensez pas à m'aimer, et je n'ai
15 pas envie d'une passion qui me déshonore. Que je sois brûlée vive et qu'on répande au vent ma cendre, plutôt que je

---

1. **Loyale** : fidèle, de bonne foi.
2. **Félons** : les mots-clefs du vocabulaire médiéval sont expliqués dans le **Lexique des termes de civilisation**.

consente à trahir mon mari même un jour ! Hélas ! le roi ne
me croit pas ! J'ai lieu de m'écrier : Tombée de haut !

Salomon[1] dit vrai : ceux qui arrachent le larron[2] du
20 gibet[3] s'attirent sa haine ! Si les félons de ce royaume... »

« ... Ils feraient mieux de se cacher. Que de maux avez-
vous soufferts, quand vous fûtes blessé lors du combat contre
mon oncle ! Je vous ai guéri. Si vous m'aviez alors aimée,
c'eût été normal ! Ils ont suggéré au roi que vous étiez mon
25 amant. Si c'est ainsi qu'ils croient faire leur salut ! ils ne sont
pas près d'entrer au paradis. Tristan, ne me faites plus venir
nulle part, pour rien au monde : je n'oserai y consentir. Mais
sans mensonge, il est temps que je m'en aille. Si le roi le
savait, il me soumettrait au supplice, et ce serait fort injuste :
30 oui, je suis sûre qu'il me tuerait. Tristan, le roi ne comprend
pas non plus que si j'ai pour vous de l'affection, c'est à cause
de votre parenté avec lui : voilà la raison de mon estime.
Jadis, je pensais que ma mère chérissait toute la famille de
mon père, et je l'entendais dire qu'une épouse n'aimait pas
35 son mari lorsqu'elle montrait de l'antipathie à ses parents.
Oui, je le sais bien, elle disait vrai. C'est à cause de Marc que
je t'ai aimé, et voilà la raison de ma disgrâce...

– [Le roi n'a pas tous les torts]... ce sont ses conseillers qui
lui ont inspiré d'injustes soupçons.

40 – Que dites-vous, Tristan ? Le roi mon époux est généreux. Il n'aurait jamais imaginé de lui-même que nous puissions le trahir. Mais on peut égarer les gens et les inciter à
mal agir. C'est ce qu'ils ont fait. Je m'en vais, Tristan : c'est
trop tarder.

45 – Ma dame, pour l'amour de Dieu ! Je vous ai appelée,
vous êtes venue. Écoutez ma prière. Vous savez comme je
vous chéris ! »

Tristan, aux paroles d'Yseut, a compris qu'elle a deviné la

---

1. **Salomon** : roi biblique célèbre pour sa sagesse.
2. **Larron** : voleur, criminel.
3. **Gibet** : potence où l'on exécute les condamnés à la pendaison.

présence du roi. Il rend grâces à Dieu. Il est sûr qu'ils sorti-
50 ront de ce mauvais pas.

« Ah ! Yseut, fille de roi, noble et courtoise reine, c'est en
toute bonne foi que je vous ai mandée à plusieurs reprises,
après que l'on m'eut interdit votre chambre, et depuis je n'ai
pu vous parler. Ma dame, j'implore votre pitié : souvenez-
55 vous de ce malheureux qui souffre mille morts, car le fait que
le roi me soupçonne d'être votre amant me désespère, et je
n'ai plus qu'à mourir... [Que ne fut-il assez avisé] pour ne
pas croire les délateurs[1] et ne pas m'exiler loin de lui ! Les
félons de Cornouaille en éprouvent une vile joie et s'en
60 gaussent[2]. Mais moi, je vois bien leur jeu : ils ne veulent pas
qu'il garde à ses côtés quelqu'un de son lignage. Son mariage
a causé ma perte. Dieu, pourquoi le roi est-il si insensé ?
J'aimerais mieux être pendu par le col à un arbre plutôt que
d'être votre amant. Mais il ne me laisse même pas me justi-
65 fier. Les traîtres qui l'entourent excitent contre moi sa colère,
et il a bien tort de les croire. Ils l'ont trompé, et lui n'y voit
goutte. Ils n'osaient pas ouvrir la bouche, quand le Morholt
vint ici, et il n'y en avait pas un qui osât prendre les armes.
Mon oncle était là, accablé : il aurait préféré la mort à cette
70 extrémité. Pour sauver son royaume, je m'armai, je combat-
tis, et je le débarrassai du Morholt. Mon oncle n'aurait pas
dû croire les accusations des délateurs. Souvent, je m'en désespère. Sait-il l'étendue du mal qu'il commet ? Oui, il s'en
rendra compte un jour. Pour l'amour du fils de Marie, ma
75 dame, allez lui dire sans tarder qu'il fasse préparer un feu, et
moi j'entrerai dans la fournaise : si je brûle un poil de la
haire[3] que j'aurai revêtue, qu'il me laisse consumer tout
entier. Car je sais bien qu'il n'y a personne dans sa cour pour
oser combattre contre moi. Noble dame, prenez pitié. Je vous
80 implore. Intervenez pour moi auprès du roi qui m'est si cher.

---

1. **Délateur** : personne qui dénonce pour des raisons méprisables.
2. **S'en gaussent** : s'en moquent.
3. **Haire** : chemise de crin portée en signe de pénitence.

REPÈRES

• Quel est le danger pour les amants ?
• Comment s'aperçoivent-ils de la présence de Marc ? Peuvent-ils s'en avertir mutuellement ?

OBSERVATION

• Iseut paraît-t-elle contente de ce rendez-vous avec Tristan ? Relevez les phrases où elle exprime : a) son désir de s'en aller ; b) son refus de voir Tristan à l'avenir ; c) les raisons qui la poussent à ce refus.
• Quelles justifications Tristan trouve-t-il au contraire à sa demande d'entrevue ?
• Les amants accusent-ils Marc ? Qui rendent-ils responsables ? Pourquoi ?
• À quels éléments de leur histoire les amants font-ils allusion ? Pourquoi ?
• Iseut nie-t-elle avoir de l'affection pour Tristan ? Comment justifie-t-elle cette affection ? Montrez que cela lui permet de jouer sur le double sens du verbe « aimer ».

INTERPRÉTATIONS

• Montrez que non seulement les amants évitent le piège, mais qu'ils contre-attaquent et parviennent à se justifier.
• Marc ne prononce pas une parole. Son rôle est-il cependant inexistant ?
• En quoi pourrait-on dire que cette scène est digne de la farce ?

DE LA LECTURE À L'ÉCRITURE

Réécrivez les lignes depuis « Le roi n'a pas tous les torts » jusqu'à « c'est trop tarder. » (l. 38 à 47) en imaginant que les deux amants ne se sont pas aperçus de la présence de Marc.

Quand je débarquai en ce pays... Mais il est mon seigneur et j'irai le trouver.

– Croyez-moi, Tristan, vous avez tort de me faire cette requête[1], et de m'inciter à lui parler de vous pour obtenir 85 votre pardon. Je ne veux pas encore mourir, et je me révolte à l'idée d'un tel suicide. Il vous soupçonne d'être son rival, et moi, j'intercéderais pour vous[2] ? Ce serait trop d'audace. Non, Tristan, je m'y refuse, et vous avez tort de me demander cela. Dans ce pays, je suis seule. Sa demeure vous est interdite 90 à cause de moi : s'il m'entendait plaider votre cause, il aurait toutes les raisons de me croire insensée. Non, je ne lui dirai pas un mot.

LES SUITES DU RENDEZ-VOUS

Pour mieux convaincre Marc de la fausseté de ses soupçons, Tristan feint de vouloir quitter le pays et demande à Iseut de l'argent pour payer ses dettes. Celle-ci refuse et quitte le jardin.

Iseut est entrée dans sa chambre. Brengain la vit toute pâle ; elle comprit bien qu'Iseut venait d'entendre une nouvelle qui lui avait attristé le cœur, pour qu'elle pâlisse ainsi et change de visage. Iseut répond : « Belle maîtresse, j'ai bien 5 lieu d'être[3] pensive et triste ; Brengain, je ne veux pas vous mentir : je ne sais qui a voulu nous trahir aujourd'hui, mais le roi Marc était dans l'arbre, là où se trouve le perron[4] de marbre. Je vis son ombre dans la fontaine ; Dieu me fit parler la première : il n'y eut pas un mot de dit de tout ce que je

---

1. **Requête** : demande.
2. **J'intercéderais pour vous** : je parlerais en votre faveur.
3. **J'ai bien lieu d'être** : j'ai des raisons pour être.
4. **Perron** : haute pierre qui permet aux chevaliers en armure de monter ou descendre de cheval plus facilement.

10 désirais, je vous le garantis, mais ce fut une extraordinaire
suite de plaintes et de gémissements. Je blâmai Tristan de
m'avoir demandée, et lui, de son côté, me priait de le réconcilier avec mon seigneur[1], qui, à grand tort, était dans l'erreur en ce qui concernait ses sentiments envers moi ; je lui
15 répondis qu'il avait demandé une grande folie, que jamais
plus je ne viendrais à son rendez-vous, et qu'à aucun prix je
ne parlerais au roi. Je ne sais ce que j'ai pu raconter encore ;
nous nous plaîgnîmes abondamment de concert[2]. Pas une
fois le roi ne se rendit compte de la vérité, ni ne découvrit le
20 fond de ma pensée ; je me suis tirée de ce mauvais pas. »

Quand Brengain l'entendit, elle s'en réjouit beaucoup :
« Iseut, ma dame, c'est une grande grâce que nous a faite
Dieu, qui jamais ne trompa, quand il vous a conduite au
terme de l'entretien sans qu'il y ait plus[3], de sorte que le roi
25 n'a rien vu qui ne puisse être pris en bonne part. Dieu a
accompli un grand miracle pour vous, il agit en vrai père, et
il est tel qu'il prend soin de ne pas faire de mal à ceux qui
sont bons et loyaux. »

Tristan, de son côté, avait raconté à son maître Gouvernal
30 comme il s'était comporté ; quand celui-ci entend son récit,
il remercie Dieu qu'en cette circonstance il ne se soit rien
passé de plus grave avec Iseut. Le roi ne put trouver son nain.
Dieu ! combien cela aurait mieux valu pour Tristan !

Le roi retourne à sa chambre ; Iseut le voit, qui en éprouve
35 une grande crainte : « Sire, au nom de Dieu, d'où venez-
vous ? Avez-vous quelque affaire pressante, pour venir seul
ainsi ? – Reine, c'est à vous que je viens parler et demander
une chose ; ne me cachez donc pas la vérité, car c'est le vrai
que je veux savoir. – Sire, pas un jour de ma vie je ne vous

---

1. **Mon seigneur :** mon mari. Pour le sens général du terme « seigneur », voir
le **Lexique des termes de civilisation.**
2. **De concert :** ensemble.
3. **Sans qu'il y ait plus :** sans que le roi ait pu remarquer des gestes ou des
paroles qui montreraient que Tristan et Iseut sont amants.

40 ai menti ; quand bien même je devrais recevoir ici la mort, je
dirai la vérité pleine et entière, je n'y mentirai pas d'un seul
mot. – Dame, avez-vous vu récemment mon neveu ? – Sire,
je vous en découvre toute la vérité ; vous ne croirez pas qu'en
cela je dise vrai, mais je parlerai sans tromperie : je le vis et
45 je lui parlai, avec ton neveu[1] je suis allée sous le pin là-bas ;
tue-moi maintenant, roi, si tu le veux. Certes, je l'ai vu ; c'est
un grand motif de douleur, car tu penses que j'aime Tristan
par goût de la débauche[2] et de la tromperie ; et j'en éprouve
une telle douleur que peu m'importe que tu me fasses sauter
50 le mauvais pas[3]. Sire, pitié pour cette fois ! Je t'ai dit la
vérité, et pourtant tu ne me crois pas, mais tu crois des
paroles insensées et sans fondement ; ma bonne foi me sau-
vera. Tristan, ton neveu, vint sous le pin qui se trouve là-bas
dans ce jardin, et il me fit prier que j'allasse le rejoindre. Je
55 ne pouvais lui faire trop chichement honneur[4] : c'est grâce
à lui que je suis la reine votre épouse. Certes, si ce n'était à
cause des perfides[5] qui vous disent ce qui ne sera jamais, je
lui ferais volontiers honneur. Sire, je vous considère comme
mon mari, et il est votre neveu, à ce que j'ai entendu dire ;
60 c'est à cause de vous, Sire, que je l'ai tant aimé. Mais les
félons, les médisants, qui veulent l'éloigner de la Cour, te font
croire ce mensonge. Tristan s'en va ; Dieu fasse qu'ils en
reçoivent male honte ! À ton neveu je parlai hier soir ; il s'est
plaint à moi comme un homme plein d'angoisse, Sire, en me
65 priant de le réconcilier avec vous. Je lui ai répondu qu'il
devait s'en aller, que jamais à l'avenir il ne devait me prier
de le voir ; car jamais je ne viendrais à lui, ni je ne vous en
parlerais jamais. Sire, vous n'en croirez pas le moindre mot :
il ne se passa rien d'autre. Si vous le désirez, tuez-moi, mais

---

1. **Ton neveu** : en ancien français, le passage du « vous » au « tu » dans un
dialogue n'a pas de valeur expressive particulière.
2. **Débauche** : excès condamnable de plaisirs sensuels.
3. **Sauter le mauvais pas** : mourir (périphrase superstitieuse).
4. **Trop chichement** : trop peu.
5. **Perfides** : traîtres.

REPÈRES

• Ce passage est-il le récit d'une action ? À quoi est-il consacré ?
• Combien de conversations a-t-on dans ce passage ? Pour chacune, dites quels sont les interlocuteurs en présence.

OBSERVATION

• Dans la conversation d'Iseut avec Marc (l. 43-81), relevez un des arguments qu'elle emploie pour justifier son entrevue avec Tristan. Qui accuse-t-elle pour se défendre ?
• Comment se termine l'entretien entre Iseut et Marc (l. 82-90) ? Le lecteur s'attend-il à ce que Tristan quitte la Cornouailles comme il en avait l'intention ?
• Relevez les termes qui appartiennent au champ lexical du mensonge et de la vérité.
• Comparez ce qu'Iseut raconte à Brengien et ce qu'elle raconte à Marc. Montrez que dans un cas, elle révèle ses pensées secrètes, et que dans l'autre, elle se contente de répéter ce qu'elle a dit à Tristan sous le pin.
• Iseut dit-elle la vérité à Brengien ? En ce qui concerne son entretien avec Marc, en quoi peut-on dire qu'elle dit la vérité et ment en même temps ?

INTERPRÉTATIONS

• Analysez les relations entre Iseut et Marc : pourquoi Iseut a-t-elle peur ? Montrez que, pourtant, elle sait retourner la situation à son profit et que c'est elle qui maîtrise l'entretien.
• D'après ce passage, quelles sont les caractéristiques morales de Marc ? Est-ce un personnage positif ou négatif ?

DE LA LECTURE À L'ÉCRITURE

Tristan raconte à Gouvernal la scène qui vient de se dérouler. Le texte ne donne ici qu'un résumé des paroles de Tristan, intégré au récit (l. 29-33). Développez le dialogue entre Tristan et Gouvernal en imaginant les questions et les réponses des deux personnages. Vous pouvez vous inspirer du dialogue qui suit entre Iseut et Marc.

70 ce sera à tort. C'est à cause de cette discorde que Tristan s'en
va, je sais bien qu'il veut passer la mer ; il me demanda de
l'acquitter de son séjour[1] ; mais je ne voulus l'acquitter de
rien, ni m'attarder à parler avec lui. Sire, je viens de te dire
l'entière vérité ; si je te mens, fais-moi couper la tête. Sachez
75 bien ceci, Sire, sans doute aucun : je l'aurais tenu quitte, si
j'avais osé, bien volontiers ; et pourtant je ne voulus pas
même mettre quatre besants[2] dans son aumônière[3], à cause
de la perfidie de ton entourage. Pauvre il s'en va ; que Dieu
le conduise ! C'est par grand péché que vous le chassez. Il ne
80 pourra jamais aller dans ce pays là-bas sans que Dieu ne soit
pour lui un ami véritable. »

Le roi savait bien qu'elle avait dit la vérité, il avait entendu
toutes les paroles échangées. Il prend Iseut dans ses bras,
l'embrasse cent fois. Elle pleure, il prie qu'elle se taise. Jamais
85 plus il ne doutera d'eux désormais pour croire les paroles
d'un quelconque médisant ; qu'ils aillent et viennent à leur
plaisir. Ses biens appartiendront désormais à Tristan comme
les biens de Tristan seront à lui. Il ne croira plus les gens de
Cornouaille.

LA FLEUR DE FARINE

*Qui pourrait être amoureux pendant un ou deux ans sans
en laisser rien paraître ? Certainement pas Tristan et Iseut,
qui ne sont guère prudents et ne tardent pas à exaspérer les
barons.*

*Après les avoir surpris plusieurs fois ensemble dans le ver-
ger ou même dans le lit du roi, ceux-ci imposent à Marc un
ultimatum : ou bien il chasse son neveu, ou bien eux-mêmes,*

---

1. **L'acquitter de son séjour** : payer ses dettes afin qu'il puisse quitter le pays.
2. **Besants** : pièces de monnaie du Moyen Âge.
3. **Aumônière** : bourse.

*ses plus puissants vassaux, se retirent dans leurs terres et lui
déclarent la guerre. Marc accepte de s'en remettre au conseil
du nain Frocin qui se fait fort de prendre les amants en
flagrant délit. Frocin a mis au point un habile stratagème :
le roi doit demander à Tristan d'aller porter un message au
roi Arthur. Avant d'entreprendre ce voyage, Tristan voudra
parler à son amie. Comme il dort dans la chambre royale,
il mettra à profit la moindre absence du roi pour rejoindre
Iseut dans son lit. Marc pourra alors constater l'adultère.*

Le nain se trouvait la nuit dans la chambre du roi ; écoutez
de quelle façon il se comporte cette nuit-là : il répand de la
fleur de farine[1] entre les deux lits, de telle sorte qu'apparaisse
la marque des pas si l'un d'eux vient trouver l'autre au cours
5 de la nuit ; la farine conserve la marque des pas. Tristan vit
le nain s'affairer et éparpiller la farine ; il se demanda ce que
cela pouvait bien signifier, car Frocin n'avait pas l'habitude
d'agir ainsi. Puis il se dit : « Il se pourrait bien qu'il répande
de la farine à cet endroit afin de voir notre trace, au cas où
10 l'un de nous irait trouver l'autre. Bien fou serait celui qui
passerait maintenant ; à présent, il pourra voir sans peine si
j'y vais. »

Le jour d'avant, Tristan, à la chasse, avait été blessé par
un grand sanglier, il éprouvait une forte douleur. La plaie
15 avait beaucoup saigné ; par malheur pour lui, elle n'était pas
bandée. À ce que j'imagine, Tristan ne dormait pas ; de son
côté, le roi se lève au milieu de la nuit, il sort de la chambre ;
avec lui s'en alla le nain bossu.

Dans la chambre, il n'y avait pas la moindre clarté, ni
20 lampe, ni cierge allumé. Tristan se mit debout sur le lit. Dieu !
Pourquoi donc ? écoutez la suite ! Il joint les pieds, juge de
la distance et saute ; il retombe de haut sur le lit du roi. Sa
plaie s'ouvre, se met à saigner très fort ; le sang qui en jaillit

---

1. **Fleur de farine :** farine très blanche et très fine.

ensanglante les draps. La plaie saigne, il ne la sent, car il est
25 tout à la joie de son amour. En plusieurs endroits le sang se
rassemble. Le nain se trouve au-dehors ; à la lune[1], il vit bien
que les deux amants étaient réunis ; il en frémit de joie, et dit
au roi : « Va, et si tu ne peux les prendre ensemble, fais-moi
pendre ! »
30   Là se trouvaient les trois félons par qui cette trahison avait
été délibérée[2] en secret. Le roi arrive, Tristan l'entend ; il se
lève du lit tout effrayé ; il refait le saut aussi vite qu'il le peut.
Au bond que fait Tristan, le sang dégoutte – quel malheur !
– de la plaie sur la farine. Ah Dieu ! quel dommage que la
35 reine n'ait pas ôté les draps du lit ! Cette nuit-là, ils n'eussent
été convaincus de culpabilité ni l'un ni l'autre ; si Iseut s'en
fût avisée[3], elle eût aisément défendu son honneur. Par la
suite, Dieu, à qui il plut de les protéger, accomplit pour eux
un très grand miracle. Le roi revient dans sa chambre ; le
40 nain, qui tient la chandelle, vient avec lui. Tristan faisait semblant de dormir, car il ronflait fortement du nez. Il était
demeuré seul dans la chambre, à l'exception seulement de
Perinis[4], étendu à ses pieds, qui ne faisait pas le moindre
mouvement ; de son côté, la reine était couchée dans son lit.
45 Sur la farine, le sang apparut, tout frais. Le roi vit le sang
dans le lit ; les draps blancs en étaient tout vermeils[5], et sur
la farine apparaît la trace du saut. Le roi menace Tristan. Les
trois barons sont dans la chambre, ils saisissent Tristan dans
son lit avec fureur – c'est à cause de sa prouesse qu'ils
50 l'avaient pris en haine –, et de même la reine, qu'ils injurient
et menacent très violemment. Ils n'auront de cesse qu'ils
n'aient fait justice d'eux. Ils voient la jambe de Tristan qui
saigne. « Voici un indice irréfutable, vous êtes convaincus de

---

1. **À la lune** : d'après l'aspect de la lune (le nain est devin et astrologue).
2. **Délibérée** : décidée.
3. **S'en fût avisée** : s'en fût aperçue.
4. **Perinis** : le page qu'Iseut a ramené d'Irlande avec elle, entièrement dévoué
aux deux amants.
5. **Vermeils** : rouges.

culpabilité, dit le roi, il ne servira à rien de chercher à vous
55 défendre. En vérité, Tristan je crois que vous pouvez être
certain d'être demain mis à mort. » Tristan lui crie : « Sire,
grâce ! Au nom de Dieu, qui souffrit la Passion, Sire, qu'il
vous prenne pitié de nous ! » Les félons disent : « Sire, tu
peux te venger maintenant. »

60   « Bel oncle, je ne me soucie pas de mon propre sort ; je
sais bien qu'il va me falloir franchir le mauvais pas[1]. Si ce
n'était la crainte que j'ai de vous courroucer, cette affaire
aurait été chèrement disputée. Jamais, sous peine de leur vie,
ces félons n'auraient pu penser mettre la main sur moi ; mais
65 envers vous, je n'éprouve aucun ressentiment. Maintenant,
que cela tourne bien ou mal pour moi, vous me traiterez selon
votre bon plaisir, et je suis prêt à tout souffrir de vous ; mais
Sire, pour Dieu, ayez pitié de la reine ! (Tristan s'incline
devant elle), car il n'est pas d'homme dans ta maison, s'il
70 osait soutenir ce mensonge que, par folie, je me suis livré au
plaisir d'amour avec la reine, qui ne me trouverait aussitôt
armé, en champ clos[2]. Sire, par Dieu, pitié pour elle ! »
    Les trois barons qui sont dans la chambre ont pris Tristan
et l'ont lié, et ils ont également lié la reine. Voilà la haine
75 bien établie entre eux tous. Si, à ce moment, Tristan avait su
qu'on ne lui laisserait pas la possibilité de se défendre en
combat judiciaire, il aurait mieux aimé se laisser tailler en
pièces tout vif plutôt que de supporter qu'on ne les lie, elle
et lui. Mais il avait une telle confiance en Dieu qu'il savait et
80 croyait bien que, si on lui laissait la possibilité de se défendre
en champ clos, il ne se trouverait personne pour oser prendre
les armes contre lui ; il pensait bien alors pouvoir se justifier
en combat singulier. C'est pour cette raison qu'il voulut ne
manquer en rien au roi[3], quelque mauvais traitement qu'on
85 lui fasse subir. Car s'il avait su ce qu'il en était, et ce qui

---

1. **Franchir le mauvais pas** : mourir.
2. **En champ clos** : lieu limité par des barrières où se déroulaient les duels.
3. **Ne manquer en rien au roi** : ne commettre aucune faute envers lui.

REPÈRES

• Résumez les circonstances (le lieu et le moment) et les éléments (les moyens mis en œuvre) du piège tendu aux amants par le nain.
• Quelles sont les ressemblances et les différences avec le premier piège (Le Rendez-vous épié) ?

OBSERVATION

• Comment Tristan espère-t-il déjouer la ruse mise en place par Frocin ?
• En quoi les traces de sang sont-elles plus accablantes pour les amants que les traces de pas ? Dégagez l'aspect symbolique des couleurs.
• Pourquoi Tristan se laisse-t-il prendre sans résistance ? Comment voudrait-il se défendre (l. 69-83) ? Pourquoi a-t-il confiance dans le duel judiciaire ?
• Relevez les passages où le narrateur s'adresse au lecteur. Quelles sont les autres marques de sa présence ? Montrez que ce narrateur se présente plus comme un conteur oral que comme un écrivain. Quels sont les avantages de cette manière de raconter ?

INTERPRÉTATIONS

• Montrez qu'il y a un contraste entre la culpabilité éclatante des deux amants et leur attitude.
• Quelle est l'attitude des autres personnages ? Distinguez la réaction de Marc et des barons de celle du peuple.
• À qui va la sympathie du lecteur ? Montrez que les interventions du narrateur influencent son jugement.

DE LA LECTURE À L'ÉCRITURE

Réécrivez les lignes 30-37 en remplaçant les interventions du narrateur favorables aux amants par des interventions défavorables que vous inventerez.

devait leur advenir[1], il les eût tués tous les trois, jamais la présence du roi n'aurait pu les protéger. Ah Dieu ! pourquoi Tristan ne les tua-t-il alors ? La situation en eût été bien meilleure !

90 Le bruit se répand par la cité que l'on a trouvé tous deux ensemble Tristan et la reine Iseut, et que le roi veut les mettre à mort. Pleurent les grands et les petits ! Ils se répètent les uns aux autres : « Hélas ! Nous avons bien motif de pleurer ! Ah Tristan, toi qui es si vaillant ! Quel malheur que par traî-
95 trise ces canailles vous aient fait prendre ! Ah reine noble, honorée ! Est-il une terre où l'on ait jamais vu naître une fille de roi de ta valeur ? Ah nain ! Voilà le résultat de ta sorcellerie !

LE SAUT DE LA CHAPELLE

Marc fait préparer le bûcher sur lequel il veut faire mourir les amants. Mais les gens de Cornouailles n'ont pas oublié que Tristan est le seul à avoir jadis osé s'opposer au Morholt. Grâce à lui, leurs enfants ne partent plus en escla-vage en Irlande ! La foule se rassemble donc devant le palais pour plaider la cause des amants.

Le roi a annoncé à l'assemblée des gens de Cornouailles qu'il veut, dans un bûcher, faire brûler son neveu et sa femme. Tous les sujets de son royaume s'écrient : « Roi, vous commettriez un horrible péché s'ils n'étaient auparavant
5 jugés ; ensuite tu pourras les livrer à la mort ; Sire, pitié ! » Le roi, sous l'empire de la colère[2], répond : « Au nom de notre Seigneur qui fit le monde, et toutes les choses qui y sont, je préférerais perdre mon héritage plutôt que d'aban-

---

1. **Advenir** : arriver.
2. **Sous l'empire de la colère** : dominé par la colère.

donner ma décision de les brûler, quand bien même on
10 devrait m'en demander raison un jour[1]. Laissez-moi donc
tranquille. » Il donne l'ordre d'allumer le feu et d'amener son
neveu ; c'est lui qu'il veut brûler le premier. Le roi l'attend,
tandis que des hommes vont le chercher.

Ils l'amènent alors lié par les mains. Dieu, que leur
15 conduite fut méprisable ! Tristan pleure à chaudes larmes,
mais cela ne lui sert de rien ; ils le conduisent au-dehors dans
cet appareil honteux[2]. Iseut pleure, peu s'en faut qu'elle ne
perde la raison : « Tristan, dit-elle, quel malheur que vous
connaissiez la honte d'être ainsi lié ! Mon ami cher, c'est avec
20 une grande joie que j'accepterais d'être tuée, si cela devait
vous sauver ; au moins vous pourriez en prendre
vengeance. »

Écoutez, seigneurs, combien est rempli de pitié Dieu tout-
puissant ; il ne désire pas la mort du pécheur : il accueillit
25 favorablement les lamentations, les pleurs, que faisaient les
pauvres gens pour ceux que l'on tourmentait. Sur le chemin
par où passe la troupe se trouve une chapelle, sur un tertre[3],
au bord d'un rocher ; elle dominait la mer, et était exposée
au vent du nord ; la partie que l'on appelle le chœur[4] était
30 établie sur un promontoire[5] : il n'y avait rien au-delà, si ce
n'est la falaise, qui était faite d'ardoise ; si un écureuil avait
sauté du haut du rocher, jamais il n'aurait pu en réchapper,
il se serait tué. Dans l'abside[6] se trouvait un vitrail, aux
teintes pourpres, qui était l'œuvre d'un saint. Tristan inter-
35 pelle les gens qui le mènent : « Seigneurs, voici une chapelle.
Au nom de Dieu, laissez-moi donc y entrer. Je touche au
terme de mes jours : je prierai Dieu qu'il ait pitié de moi, car

---

1. **M'en demander raison** : me le reprocher et me demander de réparer
matériellement ma faute.
2. **Dans cet appareil honteux** : dans ce lamentable état.
3. **Un tertre** : une butte.
4. **Le chœur** : partie centrale de l'église.
5. **Un promontoire** : falaise qui s'élève en saillie au-dessus de la mer.
6. **L'abside** : partie arrondie de l'église, derrière le chœur.

REPÈRES

• Quel danger menace Tristan et Iseut ?
• Rappelez brièvement les circonstances qui ont mis les amants dans cette mauvaise posture.

OBSERVATION

• Par quel sentiment Marc est-il dominé ? Est-ce un point positif pour quelqu'un qui est supposé rendre la justice ? Quelle est d'ailleurs la réaction de la foule ?
• Sous quel prétexte Tristan demande-t-il à entrer dans la chapelle ? Cette demande est-elle inhabituelle pour un condamné ? Pourquoi a-t-elle de fortes chances d'être acceptée ?
• Relevez les passages qui montrent que Dieu est du côté des amants. En quoi le saut de Tristan peut-il être considéré comme un miracle ? Montrez que Béroul prend cependant soin de justifier logiquement le miracle par un autre type d'explication.
• Quelle image des deux héros a-t-on ici ? Citez les détails qui les rendent humains.

INTERPRÉTATIONS

• Quels sont les différents éléments qui orientent le jugement du lecteur en faveur des amants ?
• Quels sont cependant les termes qui font allusion à une faute commise par les amants ?

DE LA LECTURE À L'ÉCRITURE

Un des chevaliers chargés de conduire Tristan au bûcher raconte à Marc comment son neveu s'est échappé. Imaginez le dialogue entre les deux hommes.

je l'ai trop souvent offensé. Seigneurs, la chapelle ne possède que cette entrée ; je vois chacun de vous tenir son épée. Vous
40 savez bien que je ne puis trouver d'autre issue, et qu'il me faudra bien passer devant vous pour ressortir ; et quand j'aurai prié Dieu, vous pouvez être sûrs qu'ainsi je reviendrai vers vous. »

L'un des gardes dit alors à ses compagnons : « Nous pou-
45 vons bien le laisser aller. » Ils retirent les liens, et Tristan entre dans la chapelle ; il ne perd pas de temps ; il ne fait qu'un bond jusqu'à la fenêtre, derrière l'autel, et la tire à lui de la main droite ; par l'ouverture il s'élance au-dehors. Il aime mieux faire le saut, plutôt que d'être brûlé, devant une
50 telle assemblée. Seigneurs, il y avait au milieu de ce rocher une large dalle de pierre : Tristan y retombe légèrement ; le vent, en s'engouffrant dans ses vêtements, a empêché qu'il ne tombe comme une masse. Les gens de Cornouaille appellent encore cette pierre « le saut de Tristan ».
55 La chapelle était pleine de fidèles. Tristan saute, le sable meuble[1] le reçoit. Toute la foule est agenouillée dans l'église. Les autres l'attendent au-dehors, mais c'est en vain ; Tristan s'enfuit, c'est une grande grâce que Dieu lui a faite ! Il fuit à grandes enjambées le long du rivage. Il entend nettement cré-
60 piter le feu du bûcher ; certes, il n'a pas envie de revenir sur ses pas ! Il lui est impossible de courir plus vite qu'il ne fait.

HUSDENT

Tristan retrouve Governal, qui lui apporte ses armes. Tous deux attendent l'occasion favorable pour délivrer Iseut ou se venger. Malgré les supplications de la foule et le discours de Dinas le sénéchal, qui fait appel au sens politique du roi et lui représente le désordre qu'entraînera la

---

1. **Meuble** : mou, tendre.

mort d'Iseut, Marc reste inflexible. Il fait avancer Iseut vers le bûcher. Mais Yvain le Lépreux lui suggère un châtiment plus cruel : qu'il livre Iseut à la bande de lépreux dont il est le chef. Elle devra satisfaire tous leurs désirs et partagera leur vie misérable. Heureusement, alors que les lépreux emmènent la reine, ils passent devant le bosquet où sont dissimulés Tristan et Governal. Les deux hommes n'ont guère de mal à leur arracher Iseut. Tous trois se réfugient dans la forêt du Morrois.

Commence alors pour les amants, dans ce lieu sauvage et isolé qu'est la forêt, une vie « âpre et dure », que seul leur amour leur permet de supporter. Ils doivent changer de cachette tous les soirs, dorment dans des cabanes de branchage et n'ont pour toute nourriture que le produit de la chasse de Tristan, sans pouvoir se procurer ni pain ni sel.

Un jour, les deux amants rencontrent l'ermite Ogrin. Celui-ci essaie de leur faire prendre conscience du péché qu'ils commettent en s'aimant. Mais ni Tristan ni Iseut ne sont prêts à se repentir. Tous deux expliquent à l'homme de Dieu qu'ils ne sont pas responsables de leur amour. Ils ne s'aiment qu'à cause du philtre qu'ils ont absorbé, et préfèrent vivre misérablement dans la forêt plutôt que de se séparer.

Si vous voulez entendre une aventure qui montre combien le dressage d'un animal a de l'importance, écoutez-moi ne serait-ce qu'un instant ! Vous m'entendrez parler d'un bon braque[1] : jamais comte ni roi ne posséda un tel chien de

5 chasse ; il était toujours aux aguets[2], vif, rapide, et son nom était Husdent. On lui avait attaché une entrave[3] au cou. Le chien cherchait partout dans le château, car il était saisi d'une grande frayeur quand il ne voyait pas son maître. Il ne voulut

---

1. **Braque** : chien de chasse.
2. **Aux aguets** : en éveil.
3. **Entrave** : laisse.

manger ni pain ni pâtée, ni rien de ce qu'on put lui donner ;
10 il jappait[1] et grattait de la patte, les yeux larmoyants. Dieu !
De quelle pitié étaient prises maintes personnes à voir le
chien ! Chacun disait : « S'il était à moi, je le délivrerais de
l'entrave, car ce sera grand dommage s'il devient enragé.
Hélas, Husdent ! Jamais on ne retrouvera un tel braque, qui
15 soit aussi vif, ni qui manifeste une telle douleur pour son
maître ! Jamais bête ne montra un tel attachement. Salomon
dit à juste titre que son ami, c'est son lévrier ; nous pouvons
bien en voir la preuve avec vous : vous ne voulez goûter à
rien depuis que votre maître a été pris. Roi, faites-le donc
20 débarrasser de son entrave ! » Le roi se dit, en laissant parler
son cœur (il croit qu'Husdent va devenir enragé à cause de
son maître) : « Certes, ce chien montre une grande
intelligence : je ne crois pas qu'à notre époque, dans la terre
de Cornouaille, il puisse exister un chevalier qui vaille
25 Tristan. »
   Trois barons de Cornouaille se sont adressés au roi : « Sire,
déliez donc Husdent ! Nous verrons clairement alors si c'est
par pitié pour son maître qu'il manifeste cette douleur ; car
s'il mord bêtes ou gens, à peine sera-t-il délié, c'est qu'il est
30 enragé ; en même temps, il aura la langue pendante. » Le roi
appelle un écuyer pour faire délier Husdent.
   L'assistance se perche sur des bancs, sur des sièges élevés,
car tous craignent le premier bond du chien. Tous disaient :
« Husdent enrage. » Mais certes, il n'en avait pas la moindre
35 intention ! Aussitôt qu'il fut délié, très vif, il se mit à courir
au milieu des rangs des chevaliers, et ne s'attarda pas davantage. Il gagna la porte de la salle, et se dirigea vers la demeure
où il avait l'habitude de trouver Tristan ; le roi et tous les
autres l'ont vu faire et le suivent. Le chien pousse des cris,
40 gronde à plusieurs reprises, et manifeste une grande douleur.
Il a trouvé la trace de son maître : de tous les pas que fit

---

1. **Jappait** : aboyait.

Tristan lorsqu'il fut pris, et qu'il devait être brûlé, il n'en est
pas un seul que le braque ne refasse ; et chacun dit qu'il faut
continuer à le suivre. Husdent est entré dans la chambre où
45 Tristan fut trahi et pris ; il repart, bondit et donne de la voix.
Il se dirige en aboyant vers la chapelle ; la foule va à la suite
du chien. Pas un instant, après qu'on l'a délivré du lien, il ne
s'arrête, jusqu'à ce qu'il soit arrivé à l'église établie en haut
sur le rocher. Husdent le vif, toujours rapide, par la porte
50 entre dans la chapelle, saute sur l'autel, et ne voit pas son
maître ; il ressort par la fenêtre. Il a bondi du haut de la
roche, et s'est blessé à la patte ; il met le nez à terre, aboie.

À la lisière fleurie du bois où Tristan s'était embusqué, un
court instant Husdent s'arrête ; il ressort du bosquet et
55 s'enfonce dans le bois. Nul ne le voit qui ne soit pris de pitié.
Les chevaliers disent au roi : « Cessons de suivre ce chien :
il pourrait nous conduire en un lieu tel que le retour en serait
douloureux. »

Ils abandonnent le chien et retournent sur leurs pas. Hus-
60 dent s'engage sur un chemin forestier, il a grand plaisir à faire
la route. Le bois retentit des abois du chien. Tristan se trouvait plus profond dans la forêt avec la reine et Gouvernal. Ils
entendent la rumeur, Tristan prête l'oreille : « Par ma foi, dit-
il, j'entends Husdent. » Ils sont effrayés, éprouvent une
65 grande crainte. Tristan bondit sur ses pieds, tend son arc. Ils
vont s'abriter au plus profond d'un fourré. Ils sont saisis par
la crainte du roi, et ils s'effrayent, pensant qu'il vient avec le
braque. Le chien ne s'arrêta qu'un instant, car il découvrit
aussitôt la route. Quand il voit son maître et le reconnaît, il
70 remue la tête et agite la queue. À voir comme il verse des
pleurs de joie, on peut bien dire que jamais l'on ne vit une
joie comparable. Il accourt vers Iseut à la blonde chevelure,
puis vers Gouvernal. À tous il manifeste de la joie, même au
cheval.

75 Tristan éprouva une grande pitié pour le chien. « Ah,
Dieu ! dit-il, par quel malheur ce chien nous a-t-il suivis ? Un
chien qui au bois ne peut rester muet n'est d'aucune utilité

pour un banni[1]. Nous sommes dans la forêt, et haïs du roi.
Par la plaine, par la forêt, par tout le pays, Dame, le roi Marc
80 nous fait rechercher. S'il nous trouvait et pouvait se saisir de
nous, il nous ferait brûler ou pendre. Nous n'avons nul
besoin d'un chien. Sachez bien une chose : si Husdent reste
avec nous, il sera pour nous source de peur et de maintes
douleurs. Il vaut beaucoup mieux qu'il soit tué plutôt que ses
85 aboiements ne nous fassent prendre. Et je m'afflige qu'il soit
venu chercher ici la mort, à cause de ses hautes qualités. C'est
la noblesse de sa nature qui le poussait ; mais comment puis-
je me tirer d'affaire ? Certes, je suis profondément affligé de
ce que je doive lui donner la mort. Aidez-moi donc à prendre
90 une décision : nous avons grand besoin de nous protéger. »
Iseut lui répond : « Sire, pitié ! Si le chien prend sa bête en
donnant de la voix, c'est autant par habitude que par nature.
J'ai entendu dire jadis qu'un forestier gallois possédait un
chien courant[2] – ceci se passait après le couronnement
95 d'Arthur – qu'il avait ainsi dressé : quand le chasseur avait
de sa flèche blessé son cerf, celui-ci ne pouvait fuir ensuite
sans que le chien ne le suivît à la piste en bondissant ; il ne
faisait pas retentir la forêt de ses aboiements, et n'aurait
jamais atteint sa bête en criant ou en faisant du tapage[3]. Ami
100 Tristan, ce serait une grande joie si l'on pouvait, en y mettant
de la peine, faire abandonner son cri à Husdent pour chasser
et atteindre sa bête. » Tristan resta immobile et écouta. Il prit
pitié de la bête ; il réfléchit un peu, puis dit alors : « Si je
pouvais, avec un peu de travail, habituer Husdent à aban-
105 donner son cri pour le silence, je le tiendrais en haute estime.
Et je vais m'appliquer à ce dressage avant que ne soit écoulée
cette semaine. J'aurai du chagrin si je le tue, et pourtant je
crains fort le cri du chien ; car nous pourrions nous trouver,
vous, moi ou mon maître Gouvernal, en une circonstance

---

1. **Banni** : exilé.
2. **Chien courant** : chien de chasse.
3. **Tapage** : bruit.

REPÈRES

• Dans quel lieu se situe le début du passage ?
• Cette scène n'est pas située précisément dans le temps. Rappelez à quel événement majeur de l'histoire il faut la rattacher.

OBSERVATION

• Quel est le rôle des cinq premières lignes ?
• À partir des changements de personnages et de lieux, montrez que cette scène peut être divisée en deux grandes parties.
• Dans tout le passage, les personnages sont dominés par deux sentiments contradictoires : la pitié et la peur. Relevez les termes qui appartiennent à ces deux champs lexicaux. Précisez de qui a pitié et de qui a peur chaque personnage ou groupe de personnages, en insistant sur les différences entre la première et la deuxième partie du texte.
• Quels sont les sentiments du roi envers Tristan (l. 20-25) ? Pourquoi les trois barons insistent-ils pour que le roi fasse détacher le chien ?

INTERPRÉTATIONS

• Comment Béroul s'y prend-il pour que la décision de tuer Husdent paraisse particulièrement cruelle ?
• En quoi peut-on dire qu'on a ici un épisode qui se suffit à lui-même ?
• Béroul n'a-t-il pas d'autre but que de vanter les mérites du dressage ? Quelle valeur, incarnée par Husdent, veut-il célébrer ? En quoi cette valeur concerne-t-elle les amants ?

DE LA LECTURE À L'ÉCRITURE

Racontez une autre histoire illustrant la fidélité d'un animal.

110 telle que le chien, s'il criait, nous ferait prendre. Maintenant je veux mettre mon application et ma peine à lui faire prendre sa bête sans crier. »

Tristan va chasser à l'arc dans la forêt. Il y était habile, il décoche une flèche à un daim : le sang coule, le braque aboie, 115 le daim blessé s'enfuit en bondissant, Husdent le vif donne très haut de la voix, le bois retentit des aboiements du chien. Tristan le frappe, il lui donne un grand coup. Le chien s'arrête auprès de son maître, il cesse de crier, abandonne la bête ; il lève la tête pour regarder Tristan, ne sait que faire, 120 il n'ose aboyer, perd la trace. Tristan fourre le chien sous lui, à petits coups de son bâton sur le sol il lui indique la piste ; Husdent veut redonner de la voix ; Tristan se met en devoir de l'instruire. Avant que le premier mois ne fût achevé, le chien fut si bien dressé à chasser sur la lande qu'il suivait sa 125 trace sans aboyer : sur l'herbe aussi bien que sur la neige ou la glace, il n'abandonnera jamais sa bête, aussi rapide et ardente[1] qu'elle puisse être.

Maintenant, le chien leur est indispensable, il leur rend des services extraordinaires. S'il prend dans le bois un chevreuil 130 ou un daim, il le dissimule soigneusement en le couvrant de branchages, et s'il l'atteint au milieu de la lande – cela lui arrive souvent, bien entendu – il amasse de l'herbe sur le corps de l'animal, retourne chercher son maître, et le conduit là où il s'est emparé de sa bête. Ah, les chiens sont d'une 135 grande utilité !

LA CLÉMENCE DE MARC

Un forestier découvre par hasard Tristan et Iseut endormis dans une hutte de feuillage. Avide d'obtenir la récompense promise par Marc à qui l'aiderait à tirer vengeance

---

1. **Ardente** : vive.

de son neveu, l'homme s'empresse de prévenir le roi.
Troublé, Marc quitte précipitamment la cour en interdisant
à quiconque de le suivre. Guidé par le forestier, il parvient
jusqu'au refuge des deux amants, qu'il se promet de mettre
à mort sur-le-champ.

Le roi délace son manteau, dont les agrafes sont d'or fin ;
il le rejette en arrière, et son beau corps apparaît. Il tire l'épée
hors du fourreau[1], et s'apprêtant ainsi sous le coup de sa
colère, il se répète qu'il préfère mourir sur-le-champ plutôt
5 que de ne les tuer. Il pénètre dans la hutte l'épée nue. Le
forestier se glisse derrière lui, il accourt vite à la suite du roi ;
le roi lui fait signe de s'en retourner. Le roi leva haut le coup ;
c'est la colère qui le lui fait faire, puis elle se dissipe : le coup
allait descendre sur eux, il allait les tuer, et ç'aurait été un
10 grand malheur, quand il vit qu'Iseut portait sa chemise et
qu'il y avait une séparation entre eux deux, que leur bouche
n'était pas jointe ; et quand il vit l'épée nue qui, placée entre
eux deux, les séparait, quand il vit les braies[2] que Tristan
portait : « Dieu, dit le roi, que peut signifier cela ?
15 Maintenant, j'ai si bien vu quelle est leur attitude que Dieu !
je ne sais ce que je dois faire, les tuer ou me retirer. Ils vivent
ici dans le bois, depuis bien longtemps. Je puis bien croire, si
j'ai un peu de bon sens, que s'ils s'aimaient de fol amour[3]
ils n'auraient pas porté de vêtements, cette épée n'eût pas été
20 placée entre eux deux, ils se seraient disposés d'une autre
manière. J'étais venu décidé à les tuer ; je ne les toucherai
pas, je refrénerai ma colère. Leur cœur n'est pas poussé par
un fol amour. Je ne frapperai donc aucun d'eux ; ils sont
endormis : si je les touchais, je commettrais un très grand
25 péché ; et si j'éveille cet homme endormi et qu'il me tue, ou
que ce soit moi qui le tue, ce sera à notre déshonneur qu'on

---

1. **Fourreau** : étui, enveloppe qui protège l'épée.
2. **Braies** : sorte de culotte, intermédiaire entre le caleçon et le pantalon.
3. **Fol amour** : amour fou (avec une nuance péjorative, amour coupable).

en parlera plus tard. Avant qu'ils ne s'éveillent, je vais leur laisser des marques telles qu'ils pourront savoir de façon certaine qu'on les a trouvés endormis et qu'on a eu pitié d'eux,
30 car pour rien au monde je ne veux qu'ils soient tués, ni par moi, ni par qui que ce soit de mon royaume. Je vois au doigt de la reine l'anneau garni d'émeraudes ; je le lui ai donné autrefois, et il est d'une grande valeur ; et de mon côté j'en ai un qui fut sien : je lui ôterai le mien du doigt. J'ai sur moi
35 des gants de vair[1] qu'elle apporta avec elle d'Irlande ; je veux en couvrir son visage, là où la brûle ce rayon de soleil (je pense qu'elle a trop chaud) ; et quand ce sera le moment de partir, je prendrai l'épée qui se trouve entre eux deux, et qui servit à couper la tête du Morholt. »
40 Le roi a délié les gants, ils les regarda tous deux qui dormaient ensemble, avec grand soin il met de ses gants Iseut à l'abri du rayon qui descend sur elle. L'anneau de son doigt apparut : il le retira doucement, de telle sorte que le doigt ne bougea pas. Autrefois, l'anneau était entré difficilement ; mais
45 Iseut avait maintenant les doigts si grêles[2] qu'il sortit sans résistance ; le roi sut très bien le retirer. Il ôte doucement l'épée qui se trouve entre eux, et y met la sienne. Il sortit de la hutte, vint au destrier, monta en selle. Au forestier il dit de s'enfuir, qu'il s'en retourne, et qu'il disparaisse. Le roi s'en
50 va, il les laisse dormant ; cette fois-là, il ne se passa rien d'autre. Le roi est retourné dans sa cité. De plusieurs côtés, on lui demande où il a été, et où il est resté si longtemps. Le roi leur ment, il ne voulut avouer ni où il était allé, ni ce qu'il y avait été chercher, ni ce qu'il avait bien pu faire.
55 Mais écoutez maintenant ce qu'il en est des endormis, que le roi a abandonnés dans le bois. Il semblait à la reine qu'elle se trouvait dans une grande forêt, à l'intérieur d'un riche pavillon[3] ; deux lions venaient vers elle, qui voulaient la

---

1. **Vair** : fourrure d'écureuil.
2. **Grêles** : maigres.
3. **Pavillon** : tente.

REPÈRES

• Rappelez les raisons qui expliquent la colère du roi quand il découvre sa femme et son neveu.
• En quoi serait-ce pour lui une occasion parfaite pour se venger ?

OBSERVATION

• Quels sont les éléments de l'attitude des amants qui décident Marc à suspendre son geste ?
• Dans le monologue intérieur du roi (l. 14-39), relevez les marques (types et constructions des phrases, vocabulaire, temps verbaux) de son hésitation et de sa perplexité ; puis celles qui prouvent qu'il a pris une décision (à partir de la ligne 21).
• Quelles sont les intentions du roi en changeant d'anneau et d'épée avec les amants et en laissant son gant ? Quelle est la valeur symbolique de ces objets (vous pouvez vous aider du **Lexique des termes de civilisation**) ?
• Les amants interprètent-ils correctement les gestes de Marc ?
• Pourquoi les amants se sentent-ils, cette fois, coupables envers le roi ?

INTERPRÉTATIONS

• Montrez que cette scène repose sur des gestes et des signes visuels qu'il s'agit de déchiffrer, un peu comme on déchiffre un rébus.

DE LA LECTURE À L'ÉCRITURE

Imaginez qu'Iseut, au contraire de ce qui se passe dans la version de Béroul, a un rêve qui lui révèle les bonnes intentions du roi à son égard.

– Écrivez ce rêve au style direct, comme si Iseut le racontait à Tristan.
– Le récit pourrait-il alors se poursuivre tel que l'a écrit Béroul ?
– Donnez brièvement la suite de l'histoire telle que vous l'imaginez.

Lorsque le forestier vient prévenir Marc qu'il a retrouvé la trace de sa femme et de son neveu, le roi se met en route dans l'intention de tuer les deux jeunes gens dont la culpabilité ne fait pour lui aucun doute. Ne les a-t-il pas surpris en flagrant délit d'adultère dans son propre lit (voir l'épisode de la Fleur de farine) ? Cependant, lorsqu'il arrive dans la forêt, l'attitude de Tristan et Iseut, chastement endormis l'un à côté de l'autre, le fait réfléchir. L'hésitation de Marc est aussi celle du lecteur. Tristan et Iseut sont-ils innocents ou coupables ?

Coupables de faits et innocents d'intention

Coupables, ils le sont objectivement et leurs fautes envers le roi et envers les lois de la société féodale sont triples. Iseut a enfreint les lois du mariage. Tristan, lui, a manqué aux liens de vassalité qui l'unissent au roi Marc. De plus, dans les mentalités médiévales, l'oncle maternel est considéré comme l'équivalent du père. La relation adultère de Tristan avec sa tante s'aggrave donc d'un inceste. Cependant, Tristan et Iseut ne cessent de **clamer leur innocence**. Ils ont en effet un alibi de poids : le philtre, absorbé par erreur, est l'unique cause de leur amour et il leur ôte donc toute responsabilité dans l'action.

Tout l'art de Béroul consiste à **maintenir l'ambiguïté** et à ne jamais laisser oublier au lecteur que les amants sont « coupables de fait et innocents d'intention » (L. Harf). Leur culpabilité se laisse lire dans les nombreuses allusions à leur « péché », ou dans l'association de ce « fol amour » avec des images aux connotations négatives : le rouge du sang, la lèpre. En même temps, les interventions du narrateur prennent parti pour les amants. Dieu lui-même, la plus haute instance morale au Moyen Âge, est du côté des amants. L'histoire est racontée de leur point de vue, et le lecteur est invité à s'identifier à ces deux amants victimes de la fatalité.

dévorer ; elle voulait implorer leur pitié, mais les lions, tour-
60 mentés par la faim, la prenaient chacun par une main. L'effroi[1] qu'elle éprouvait fit pousser un cri à Iseut, et elle
s'éveilla. Les gants parés d'hermine blanche lui sont tombés
sur la poitrine. Tristan, entendant le cri, s'éveille ; il avait le
visage tout empourpré[2]. Sous le coup de l'effroi, il bondit
65 sur ses pieds, saisit son épée comme un homme en colère,
regarde la lame, et ne voit pas l'entaille[3] ; il vit la garde[4]
d'or qui s'y trouvait, et reconnut l'épée du roi. La reine vit à
son doigt l'anneau qu'elle avait donné à Marc, et, en
revanche, elle s'aperçut qu'on lui avait ôté du doigt celui de
70 Marc.

Elle s'écria : « Seigneur, ayez pitié de nous ! Le roi nous a
trouvés ici. » Tristan répond : « Dame, c'est bien la vérité. Il
nous faut maintenant abandonner le Morrois, car nous avons
très mal agi à l'égard du roi. Il a pris mon épée, il me laisse
75 la sienne ; il aurait bien pu nous tuer. – Oui vraiment, Sire,
c'est ce que je pense. – Belle, il ne nous reste maintenant
d'autre solution que la fuite. C'est pour nous trahir qu'il nous
a laissés ; il se trouvait seul, il est allé chercher du renfort, en
vérité, il pense s'emparer de nous. Dame, enfuyons-nous vers
80 le Pays de Galles. Tout mon sang se retire. » Il devient tout
pâle.

LA FIN DU SORTILÈGE

Seigneurs, vous avez entendu parler du vin dont ils burent,
et par lequel ils furent plongés si longtemps dans une si
grande peine ; mais je pense que vous ne savez pas pour

---

1. **Effroi** : peur.
2. **Empourpré** : rouge.
3. L'épée de Tristan s'était ébréchée lors du combat contre le Morholt.
4. **Garde** : rebord placé entre la lame et la poignée de l'épée, servant à protéger la main.

Tristan et Iseut boivent la potion, XVᵉ siècle, B.N.F.

quelle durée fut déterminée l'action du *lovendrinc*[1], du vin
5 herbé : la mère d'Iseut, qui le fit bouillir, l'avait composé pour
trois ans d'amour. C'est à Marc et à sa fille qu'elle le desti-
nait ; c'est un autre qui en goûta, et en fit la dure épreuve.
Tant que durèrent les trois ans, le vin avait à tel point subjugué[2] Tristan, et la reine avec lui, qu'ils disaient l'un et
10 l'autre : « Je n'en éprouve pas la moindre lassitude. »

Le lendemain de la saint Jean[3] s'achevèrent les trois ans
auxquels l'action du vin avait été limitée. Tristan s'était levé
tandis qu'Iseut restait dans sa hutte de feuillage. Sachez que
Tristan vise un cerf, et lui décoche une flèche ; il lui a trans-
15 percé les flancs. Le cerf s'enfuit, Tristan le poursuit ; il le
poursuivit jusqu'à ce que le soir fût tombé. Tandis qu'il court
après la bête revient l'heure où il avait bu le *lovendrinc*, et il
s'arrête. Aussitôt en lui-même il commence à se repentir :
« Ah Dieu, dit-il, que j'éprouve de tourment[4] ! Voilà trois
20 ans aujourd'hui, il n'y manque rien ; depuis ce jour, jamais
ne m'a manqué la peine, ni semaine, ni jours de fête. J'ai
oublié la chevalerie, les usages de la cour et la vie des barons.
Je suis exilé de mon pays, tout me manque, le vair et le petit-
gris[5], je ne suis pas à la cour en compagnie de chevaliers.
25 Dieu ! Mon oncle chéri m'aurait tant aimé si je n'avais contre
lui commis un si grand crime ! Ah, Dieu ! Tout va si mal
pour moi ! Je devrais me trouver en ce moment même à la
cour d'un roi avec cent écuyers qui feraient leurs premières
armes et me rendraient leur service. Je devrais partir en
30 quelque autre royaume, à la solde d'un roi[6], et faire payer
mon service. Et d'autre part, le sort de la reine me remplit

---

1. **Lovendrinc** : mot de vieil anglais, qui signifie boisson d'amour (love drink).
2. **Subjugué** : asservi, rendu victime d'un enchantement.
3. **La saint Jean** : fête du solstice d'été, le 24 juin.
4. **Tourment** : peine très vive.
5. **Le vair et le petit-gris** : fourrures d'écureuil, qui sont le signe par excellence du luxe.
6. **À la solde d'un roi** : payé par un roi pour se battre à ses côtés.

d'affliction[1], elle à qui j'offre une cabane de branchages en guise de chambre richement tapissée. Elle vit dans le bois, alors qu'elle aurait pu être, avec sa suite, dans de beaux 35 appartements tendus d'étoffes de soie. C'est par ma faute qu'elle a pris un mauvais chemin. J'implore la pitié de Dieu, le Seigneur du monde, afin qu'il me donne la force de rendre à mon oncle sa femme, en me réconciliant avec lui. J'en prête serment devant Dieu : je le ferais très volontiers si j'en avais 40 la possibilité, pourvu que l'accord règne de nouveau entre Iseut et le roi Marc, qu'elle a épousé selon la coutume prescrite par la loi de Rome[2], hélas ! ainsi qu'en furent les témoins maints[3] puissants seigneurs. »

Tristan s'appuie sur son arc, et à plusieurs reprises exprime 45 le vif regret de son attitude à l'égard du roi Marc, son oncle, à qui il a causé un tel tort en faisant naître la discorde[4] entre sa femme et lui. Dans le soir, Tristan s'abandonnait à sa grande douleur ; écoutez ce qu'il en était d'Iseut ! Elle se répétait : « Hélas !, malheureuse que je suis ! À quoi avez- 50 vous usé votre jeunesse ? Vous vivez dans le bois comme une quelconque serve[5], vous trouvez ici bien peu de gens pour vous servir. Je suis reine, mais j'en ai perdu la condition à cause du poison que nous bûmes sur la mer. Ce fut l'œuvre de Brengain, qui aurait dû en prendre garde : malheureuse ! 55 Elle en fit une si mauvaise garde ! Elle ne put rien faire ensuite, car l'erreur était trop grande. Je devrais avoir près de moi, dans mes appartements, les demoiselles des terres seigneuriales, les filles des nobles vavasseurs[6], pour me servir, et je devrais, en bonne intention, les donner en mariage aux 60 seigneurs de la cour. Ami Tristan, celle qui nous apporta le breuvage d'amour que nous bûmes ensemble nous plongea

---

1. **Affliction** : peine.
2. **La loi de Rome** : l'Église catholique.
3. **Maints** : de nombreux.
4. **Discorde** : désaccord.
5. **Serve** : féminin de serf (voir **Lexique des termes de civilisation**).
6. **Vavasseurs** : seigneurs de petite noblesse.

dans une grande erreur ; il était impossible de nous tromper plus cruellement. »

Tristan lui dit : « Noble reine, c'est dans le mal que nous passons notre jeunesse. Ma belle amie, si je pouvais, après en avoir pris conseil, me réconcilier avec le roi Marc, afin qu'il apaisât sa colère et qu'il acceptât de nous laisser nous justifier devant la justice sur ce point : que jamais, ni en faits ni en paroles, je n'ai eu avec vous de relations coupables qui aient pu être pour lui une cause de honte, il n'est pas dans tout son royaume un seul chevalier, de Lidan jusqu'à Dureaume[1], s'il voulait prétendre que j'ai joui de votre amour d'une manière déshonorante, qui ne me trouverait aussitôt armé, prêt au combat, en champ clos. Et une fois que vous vous seriez justifiée, s'il était de la volonté de Marc de m'accepter dans sa suite, je le servirais avec grand honneur[2], comme mon oncle et mon seigneur. Il n'aurait pas dans toute sa terre de chevalier à sa solde qui, dans la guerre, lui rende un meilleur service. Et s'il lui plaisait de vous prendre et de se séparer de moi, s'il n'avait cure[3] de mon service, je m'en irais chez le roi de Frise[4], ou je passerais en Bretagne[5] avec Gouvernal, sans autre compagnie. Noble reine, où que je sois, je me proclamerai toujours vôtre. Je n'eusse point voulu de cette séparation s'il nous eût été possible de demeurer ensemble, et si ce n'était, Belle, le grand dénuement[6] dont vous souffrez et que vous avez supporté si longtemps pour moi, en ces lieux sauvages. Pour moi vous perdez votre condition de reine. Tu pourrais, dans tes appartements, aux côtés de ton seigneur, recevoir les honneurs dus à ton rang, s'il n'y avait eu, dame, le vin herbé, qui nous fut

---

1. **Lidan, Dureaume** : noms de villes.
2. **Avec grand honneur** : comme il en est digne et à mon plus grand honneur.
3. **S'il n'avait cure** : s'il ne se souciait pas.
4. **Frise** : Écosse.
5. **Bretagne** : la Petite Bretagne, notre Bretagne actuelle.
6. **Dénuement** : misère.

REPÈRES

• Cherchez dans les épisodes précédents et dans celui-ci des détails qui montrent à quel point la vie des amants dans la forêt est difficile (vous pouvez aussi vous servir des résumés).

• Quel élément avait jusqu'à présent empêché les amants de prendre conscience de ces conditions de vie difficiles ?

OBSERVATION

• Relevez dans les deux monologues parallèles de Tristan et Iseut (l.19-42 et 49-63), les termes qui expriment la souffrance. Relevez toutes les phrases où se trouvent des propositions subordonnées débutant par « si », ainsi que les verbes au conditionnel.

• À quoi les amants opposent-ils leur situation présente ?

• Quel est, d'après le texte, le rôle d'un chevalier et celui d'une reine ? Montrez qu'à côté des avantages attachés à ces conditions, il existe également des devoirs.

• De quoi et envers qui les amants se sentent-ils coupables ?

• Pourquoi décident-ils d'aller consulter l'ermite Ogrin ?

INTERPRÉTATIONS

• En quoi l'arrêt de l'action du philtre représente-t-il un tournant majeur dans l'histoire des deux amants? Comment Béroul s'y prend-il pour souligner l'importance de cet événement?

• Pourquoi Béroul choisit-il de limiter l'efficacité du philtre à trois ans ? Les amants cessent-ils de s'aimer ? Montrez qu'ils retrouvent une certaine liberté et vont sans doute pouvoir vivre leur amour différemment.

DE LA LECTURE À L'ÉCRITURE

À l'aide d'un dictionnaire, précisez la différence entre les verbes « se repentir » et « regretter ». Écrivez deux phrases où vous emploierez ces deux mots en prenant Tristan et Iseut comme sujet.

donné sur la mer. Noble Iseut au beau visage, donne-moi
conseil sur ce que nous devons faire. »

– Sire, vous voulez renoncer au péché ! Grâces en soient
rendues à Jésus ! Ami, qu'il vous souvienne de l'ermite Ogrin,
95 qui nous prêcha la loi de l'Évangile et nous parla en paroles
si pressantes, quand vous allâtes à sa demeure, qui se trouve
à l'extrémité de ce bois ! Tendre et cher ami, s'il est vrai que
l'intention du repentir vous est venue, cela ne pouvait arriver
à un moment plus favorable. Sire, hâtons-nous de retourner
100 le voir. Je suis pleine de confiance en ses paroles : il nous
donnera un conseil honorable, par lequel il nous sera possible
encore d'atteindre à la joie éternelle. » Tristan l'entend,
pousse un soupir et dit : « Reine de noble naissance, retour-
nons à l'ermitage ; cette nuit-même ou demain matin, avec le
105 conseil de maître Ogrin, nous ferons part au roi de notre désir
par une lettre, sans autre message. – Ami Tristan, vous dites
juste. Puissions-nous tous deux implorer le puissant Roi
céleste d'avoir pitié de nous, Tristan, mon ami ! »

LA SÉPARATION DES AMANTS

*Heureux de la décision des amants, l'ermite Ogrin
accepte de les aider et se déclare prêt à rédiger une lettre qui
plaidera habilement leur cause, même au prix de petits mensonges. Marc se fait lire la lettre par son chapelain et
demande conseil à ses barons quant à la conduite à tenir.
Qu'ils soient convaincus ou non par l'argumentation des
amants, aucun n'a le courage de relever le défi de Tristan
qui propose de se disculper en duel judiciaire. Ils déclarent
donc avoir toujours cru à l'innocence de la reine. Le roi
doit reprendre sa femme. Ils se prononcent cependant contre
le retour immédiat de Tristan à la cour, et préfèrent qu'il
aille se mettre au service d'un roi étranger pendant quelque
temps. Les amants ont pris connaissance de la réponse du*

roi. Voici qu'après trois ans passés ensemble, ils vont devoir se séparer !

« Dieu ! dit Tristan, quelle séparation ! Il est bien triste, celui qui perd son amie ! Il faut nous quitter, à cause des privations dont vous avez pour moi si durement souffert : vous ne pouvez plus endurer davantage. Quand nous arri-
5 verons à l'instant de la séparation, je vous donnerai un pré-
sent d'amour, et vous me donnerez le vôtre, belle amie.
Lorsque je serai en cette terre lointaine, dans la paix comme en guerre, je ne resterai pas longtemps sans vous faire par-
venir de message. Belle amie, de votre côté faites-moi savoir
10 en toute franchise ce que vous voulez. » Iseut parla en jetant un grand soupir : « Tristan, écoute-moi un court instant : laisse-moi Husdent, ton chien. Jamais un chasseur n'aura soigné son chien comme le sera celui-ci, ni ne l'aura traité avec autant d'honneur, beau doux ami. Quand je le verrai,
15 j'en suis bien sûre, il me fera souvenir de vous souvent. Je n'aurai jamais le cœur si triste qu'en le voyant, je ne sois aussitôt réjouie. Jamais, depuis le jour où Dieu dicta sa loi, bête ne fut logée ainsi, ni couchée en un lit aussi riche. Ami Tristan, j'ai un anneau, un jaspe[1] vert avec un sceau[2]. Cher
20 sire, pour l'amour de moi, portez l'anneau à votre doigt, et s'il vous prend le désir, seigneur, de me faire savoir quelque chose par un messager, voici ce que je vais vous dire : sachez-
le bien, certes, je n'en croirais rien si je ne voyais pas cet anneau. Mais quand bien même un roi me le défendrait, si
25 je vois l'anneau, que ce soit sagesse ou folie, à aucun prix je ne manquerai d'accomplir ce que me demandera le porteur de cet anneau, pourvu que cela ne soit pas contraire à notre honneur : je vous le promets au nom de notre parfait amour.

---

1. **Jaspe** : pierre précieuse.
2. **Sceau** : instrument où sont gravés le blason ou tout autre signe de reconnaissance choisis par une personne. Avoir son sceau sur sa bague permettait de disposer partout de ce signe qui authentifiait une lettre, privée ou officielle.

Ami, me donnerez-vous un tel don, Husdent le vif, par sa
30 laisse ? » Tristan répond : « Mon amie chère, je vous fais don
d'Husdent en gage[1] d'amour. – Sire, je vous en remercie.
Puisque vous m'avez mise en possession du chien, en échange
tenez l'anneau. » Elle l'ôte de son doigt et le glisse au sien.
Tristan donne alors un baiser à la reine, et elle le lui rend,
35 en gage mutuel de possession.

L'ermite s'en va au Mont[2], à cause des richesses que l'on
y trouve. Il achète en quantité vair et petit-gris[3], étoffes de
soie et de pourpre bis[4], écarlate[5] et fine toile blanche, bien
plus blanche que fleur de lis, et un palefroi[6] qui va douce-
40 ment à l'amble, richement paré d'or flamboyant. L'ermite
Ogrin achète, prend à crédit et marchande à tel point les
étoffes de soie, le vair, le petit-gris et l'hermine[7], qu'il finit
par vêtir somptueusement la reine.

Par la Cornouaille on proclame que le roi se réconcilie avec
45 sa femme : « Devant le Gué Aventureux[8] sera conclue la
réconciliation entre nous. » On en a entendu partout la nouvelle. Il n'est ni chevalier, ni dame qui ne vienne à cette
assemblée. On avait beaucoup regretté la reine ; elle était
aimée de toutes gens sauf des félons : Dieu puisse-t-il les
50 détruire ! Voici quel en a été leur salaire à tous quatre : deux
d'entre eux moururent à coups d'épée, un troisième fut tué

---

1. **Gage** : ce qu'on dépose entre les mains de quelqu'un à titre de garantie,
objet qui matérialise la promesse.
2. **Mont** : mont Saint-Michel de Cornouailles.
3. **Vair, petit-gris** : fourrures d'écureuil.
4. **Pourpre bis** : tissu de soie gris.
5. **Écarlate** : tissu aux couleurs vives.
6. **Palefroi** : cheval de voyage ou de parade, que les femmes peuvent monter,
dont l'allure (l'amble) est douce et régulière.
7. **Hermine** : fourrure précieuse, de couleur blanche.
8. **Gué** : endroit d'une rivière où l'eau est assez basse pour qu'on puisse la
traverser à pied. Dans les romans, les gués peuvent être aventureux (c'est-à-dire
dangereux) soit parce que le franchissement de la rivière reste difficile, soit parce
qu'un guerrier (souvent un géant aux origines surnaturelles) en défend le
passage.

d'une flèche ; avec douleur ils moururent dans le pays. Le forestier qui avait accusé Iseut et Tristan n'évita pas une mort cruelle : car Périnis, le noble, le blond, le tua depuis d'un
55 coup de fronde[1] dans le bois. Dieu, qui voulut abattre le farouche[2] orgueil, les vengea de tous ces quatre.

Seigneurs, le jour de la rencontre, le roi Marc arriva avec une grande suite : on avait dressé là maints pavillons, et maintes tentes de barons, qui couvrent une grande surface de
60 la prairie. Tristan chevauche avec son amie, Tristan chevauche et voit la limite du camp. Sous son bliaut[3], il portait son haubert[4], car il éprouvait une vive peur pour lui-même, parce qu'il avait de grands torts envers le roi. Il vit les tentes dans la prairie, reconnut le roi et l'assemblée. Il appelle dou-
65 cement Iseut : « Dame, retenez Husdent. Je vous prie, au nom de Dieu, de prendre soin de lui ; si jamais vous l'avez aimé, aimez-le donc maintenant. Voici le roi, votre mari, et avec lui les hommes de son royaume. Nous ne pourrons plus conti-nuer longtemps à nous entretenir tous deux. Je vois venir ces
70 chevaliers, et le roi avec ses hommes de guerre, Dame, viennent à notre rencontre. Au nom de Dieu, puissant et glo-rieux, si je vous fais prier de quoi que ce soit, en hâte ou à loisir, Dame, accomplissez mes volontés. – Ami Tristan, écoutez-moi. Par la foi que je vous dois, si vous ne m'envoyez
75 cet anneau que vous portez au doigt, de telle sorte que je puisse le voir, je ne croirai rien de ce que votre messager me dira. Mais dès que je reverrai l'anneau, ni tour, ni mur, ni château fort ne m'empêcheront d'accomplir aussitôt la volonté de mon amant, selon mon honneur et ma loyauté,
80 pourvu que je sache que tel est votre désir. – Dame, dit-il, Dieu t'en sache gré ! » Il l'attire à lui, et l'entoure de ses bras.

---

1. **Fronde** : arme de jet formée d'une poche de cuir suspendue par deux cordes et contenant un projectile (balle ou pierre).
2. **Farouche** : cruel.
3. **Bliaut** : tunique que l'on porte sur la chemise.
4. **Haubert** : cotte de maille (tunique faite d'anneaux de fer) qui enveloppe le chevalier depuis la tête jusqu'aux genoux.

REPÈRES

• Quel est l'événement qui est à l'origine du désir de réconciliation des amants avec le roi ?

• Pourquoi Marc accepte-t-il cette réconciliation ?

OBSERVATION

• Relevez les termes qui appartiennent au champ lexical de la tristesse.

• Quelle est la signification de l'échange de présents entre les deux amants ? Pourquoi le choix de Husdent et d'un anneau ?

• Analysez les rapports entre les gestes et les paroles échangés par les amants (l. 19-35 et 65-81). Quelle est la particularité d'une parole de serment ?

• Un roi et une reine peuvent-ils se réconcilier comme de simples maris et femmes ? Relevez les détails qui montrent le caractère solennel de la réconciliation. Quelle est l'utilité des lignes 47-56 ?

INTERPRÉTATIONS

• Malgré l'arrêt de l'action du philtre, les deux amants ont-ils cessé de s'aimer ? Justifiez votre réponse.

DE LA LECTURE À L'ÉCRITURE

Marc voit approcher les deux amants. Il confie ses réactions à un chevalier qui l'accompagne. Imaginez ses paroles.

LE MAL PAS

Pour satisfaire les barons, Tristan aurait dû quitter la Cornouailles. En fait, à la demande d'Iseut, il se cache dans la forêt voisine chez le forestier Orri. Iseut doit faire face à une nouvelle offensive des félons qui lui reprochent de n'avoir jamais vraiment prouvé son innocence et menacent de quitter la cour. Marc se met en colère et assure la reine de son soutien, mais celle-ci décide de mettre un terme aux ragots en se soumettant à la procédure du serment devant Dieu. Pour que l'affaire soit définitivement close, elle demande au roi Arthur et à ses prestigieux chevaliers de la Table Ronde de venir à la Blanche Lande pour assister au serment. Iseut, qui a bien précisé qu'elle voulait fixer elle-même les termes de son serment, fait dire à Tristan de se préparer à lui venir en aide. Il devra se trouver au jour dit au marais du Mal Pas, par où on accède à la Blanche Lande, déguisé en lépreux, et demander l'aumône à tous ceux qui passeront.

Sans plus attendre, Tristan s'assied sur le talus, au bout de la mare, il fiche devant lui son bourdon[1] : il l'avait attaché à un cordon qui lui servait à se le pendre au cou. Autour de lui, les fondrières[2] sont très meubles[3] ; il se tire soigneuse-
5 ment sur le haut du monticule. Il n'avait pas l'allure d'un homme contrefait[4], car il était fort et robuste ; il n'était ni nain, ni contrefait, ni bossu. Il entend arriver la troupe ; il s'assied. Il avait soigneusement fait se boursoufler son visage. Lorsque quelqu'un passe devant lui, il se plaint en disant :
10 « Quel fut mon malheur de naître ! Je ne croyais pas devoir demander l'aumône ni tomber un jour dans cette nécessité,

---

1. **Il fiche son bourdon :** il plante son bâton.
2. **Fondrières :** trous pleins de boue ou d'eau.
3. **Meubles :** molles.
4. **Contrefait :** mal bâti.

mais, désormais, il ne nous est pas possible de faire autrement. » Tristan leur fait tirer des deniers[1] de leurs bourses, car il fait si bien que chacun lui donne : il reçoit les aumônes
15 sans sonner mot[2]. Tel a été sept ans entremetteur qui ne sait pas aussi bien extorquer[3] de l'argent. Même aux courriers[4] à pied et aux valets du plus bas rang qui vont par le chemin, Tristan, qui tient la tête baissée, réclame leur aumône, pour l'amour de Dieu. L'un lui donne, l'autre le frappe. Les
20 marauds[5] de valets, les vauriens, l'ont traité d'entremetteur, d'homme sans foi. Tristan écoute, et ne sonne mot ; c'est pour Dieu, dit-il, qu'il le leur pardonne. Les corbeaux, qui sont pleins de rage, le tourmentent, mais lui, il demeure tranquille. Ils l'appellent truand et homme de peu. Il les accom-
25 pagne de son bâton, il en fait saigner plus de quatorze, et si bien qu'ils ne peuvent réussir à étancher leur sang. Les nobles valets de bonne origine lui ont donné un ferlin ou une maille esterline[6] : il les accepte. Il déclare qu'il boit à leur santé à tous, car il ressent dans son corps une si grande brûlure[7]
30 qu'il ne peut l'en chasser qu'à grand-peine. Tous ceux qui l'entendent parler ainsi de pitié se mettent à pleurer. Parmi eux, pas un seul ne doute que l'homme qu'ils voient ne soit un lépreux.

Valets et écuyers pensent qu'ils doivent se hâter de trouver
35 un gîte[8] et de tendre les tentes de leur seigneur, les pavillons aux multiples couleurs ; aucun puissant seigneur qui n'ait ici sa tente. À vive allure, par le chemin et par le sentier, arrivent ensuite les chevaliers. Il y a grand concours[9] de foule dans

---

1. **Deniers** : pièces de monnaie de faible valeur.
2. **Sans sonner mot** : sans rien dire.
3. **Extorquer** : obtenir par la ruse ou la menace, de manière abusive.
4. **Courriers** : messagers.
5. **Marauds** : misérables.
6. **Ferlin, maille esterline** : monnaies anglaises.
7. **Brûlure** : la soif est une caractéristique du lépreux au Moyen Âge, avec la voix rauque.
8. **Gîte** : lieu pour se loger.
9. **Il y a grand concours** : il y a une grande foule.

le marais ; les passants l'ont creusé de fondrières, la boue est
40 très molle. Les chevaux y entrent jusqu'aux flancs, et s'il en
est qui s'en sortent, plus d'un y tombe. Tristan en rit, il ne
se trouble pas pour autant ; avec malice il dit à tous ceux qui
passent : « Tenez vos rênes par les nœuds et piquez bien de
l'éperon ; par Dieu, frappez de l'éperon[1], car il n'y a point
45 de bourbier[2] devant vous. » Quand ils veulent en faire
l'expérience, le marais s'effondre sous leurs pieds ; tous ceux
qui entrent y sont embourbés : qui n'a pas de bottes se trouve
bien dépourvu. Le lépreux a étendu la main hors de ses vêtements. Lorsqu'il voit quelqu'un qui se vautre dans la boue,
50 il fait retentir sa crécelle[3] avec ardeur. Quand il le voit profondément enfoncé dans le bourbier, le lépreux lui dit : « Pensez à moi, et que Dieu vous tire du Mal Pas ! Aidez-moi à
renouveler mes vêtements ! » De sa bouteille, il frappe dans
le hanap[4]. Il choisit un lieu singulier pour leur faire sa
55 prière ; mais il agit ainsi par impertinence, afin que lorsque,
dans un moment, passera son amie, Iseut à la blonde chevelure, elle en ressente de la joie en son cœur. Il se fait un
fort grand tumulte dans ce Mal Pas. Quiconque passe souille
ses vêtements. De loin, on peut entendre les exclamations de
60 ceux qui se couvrent de boue dans le marécage. De tous ceux
qui passent par là, aucun n'est en sûreté. Sur ces entrefaites,
voici qu'arrive le roi Arthur ; il vient examiner le passage,
avec plusieurs de ses barons. Ils craignent que le marécage ne
s'effondre sous leurs pieds. Tous les chevaliers de la Table
65 Ronde étaient venus au Mal Pas, avec des écus neufs, des
chevaux gras, et chacun avec des armes différentes. À tous
l'armure couvre les pieds comme les mains ; on portait là

---

1. **Éperon** : pièce de métal fixée à la botte du cavalier, terminée par une
pointe, pour piquer les flancs du cheval et le faire avancer plus vite.
2. **Bourbier** : lieu creux plein de boue.
3. **Crécelle** : instrument de bois formé d'une planchette mobile qui tourne
bruyamment autour d'un axe, dont les lépreux, malades contagieux, se
servaient pour avertir les gens sains de leur présence.
4. **Hanap** : gobelet.

maintes étoffes de soie. Ils font des passes de joute[1] devant le gué.

70   Tristan connaissait bien le roi Arthur ; il l'appela à lui : « Sire Arthur, roi, je suis lépreux, mon visage est tuméfié, je suis lépreux, infirme et faible. Pauvre est mon père, il ne posséda jamais de terres. Je suis venu ici demander l'aumône, j'ai entendu dire grand bien de toi, tu ne dois pas m'écon-
75 duire. Tu es vêtu de beau drap gris de Ratisbonne[2], à ce que je pense. Sous la toile de Reims, ta chair est blanche et ferme. Je vois tes jambes chaussées d'une riche étoffe de soie et de filet vert, et tes guêtres[3] d'écarlate. Roi Arthur, vois-tu comme je me gratte ? Même si les autres ont chaud, je ressens
80 toujours un grand froid. Pour Dieu, donne-moi ces guêtres. » Le noble roi eut pitié de lui. Deux damoiseaux[4] lui ont ôté ses chausses. Le malade prend les guêtres, et les emporte bien vite. Il retourne s'asseoir sur la butte. Le lépreux n'épargne aucun de ceux qui passent devant lui. Il a reçu grande quan-
85 tité de vêtements fins et les guêtres du roi Arthur.

    Tristan s'assied de manière à dominer le marais. Quand il se fut assis là, voici qu'arriva le roi Marc, fier et puissant, chevauchant à vive allure vers le bourbier. Tristan entreprend d'essayer s'il pourra tirer quelque chose de lui. Il fait retentir
90 sa cliquette[5] aussi fort qu'il le peut. De sa voix enrouée il crie avec difficulté. Par le nez, il fait siffler son haleine. « Par Dieu, roi Marc, la charité ! » Marc retire son bonnet de fourrure, et lui dit : « Tiens, frère, mets-la donc sur ta tête. Bien des fois t'ont éprouvé les intempéries. – Sire, répond Tristan,
95 grâces vous en soient rendues, je suis maintenant à l'abri du froid, par votre bonté. » Il a mis le bonnet sous sa cape ;

---

1. **Des passes de joute** : les chevaliers s'affrontent avec des lances de tournoi dépourvues de fer, pour ne pas se blesser.
2. **Ratisbonne** : ville d'Allemagne du Sud.
3. **Guêtres** : enveloppes de tissu ou de cuir qui recouvrent le haut de la chaussure et parfois le bas de la jambe.
4. **Damoiseaux** : pages.
5. **Cliquette** : crécelle.

autant qu'il le peut, il le dissimule et le cache. « D'où es-tu, lépreux ?, fait le roi. – De Carloon[1], fils d'un Gallois. – Combien d'années as-tu vécu retiré du monde ? – Sire, sans
100 mentir, cela fait trois ans. Aussi longtemps que je vécus en pleine santé, j'avais une amie très courtoise. C'est à cause d'elle que je porte ces tumeurs étendues. Elle me fait sonner nuit et jour de cette cliquette façonnée bien plat, et assourdir de ce bruit tous ceux à qui je demande un peu de leur bien
105 pour l'amour de Dieu, notre Créateur. » Le roi lui dit : « Ne me cache pas de quelle façon ton amie t'a donné ce mal. – Sire le roi, son mari était lépreux, je prenais mon plaisir avec elle ; ce mal m'est venu de notre liaison[2]. Mais il n'y a qu'une femme qui soit plus belle qu'elle. – Qui est-ce ? – La belle
110 Iseut : elle se vêt tout ainsi que faisait l'autre. » Le roi entend ces paroles, il repart en riant.

Le roi Arthur, qui était en train de jouter, est venu l'attendre de l'autre côté, il manifesta une joie telle qu'il lui aurait été impossible d'en éprouver une plus grande. Arthur
115 s'enquit[3] de la reine : « Elle vient, fait Marc, par la forêt, Sire roi, elle vient avec Andret. Il se charge de la guider. » Ils se disent l'un l'autre : « Je ne sais pas comment elle pourra se tirer de ce Mal Pas. Tenons-nous donc ici et guettons son arrivée. » Les trois félons (que le feu d'enfer les brûle !)
120 arrivent au gué, et demandent au lépreux par où sont passés ceux qui se sont le moins embourbés. Tristan étend son bâton et leur désigne un grand terrain mou : voyez cette tourbe[4] après ce bourbier, c'est là la bonne direction ; j'en ai vu par là passer plusieurs. Les félons entrent dans la fange[5], là où
125 le lépreux leur a montré. Ils trouvent une épaisseur extraor-

---

1. **Carloon** : ville de Galles (voir carte p. 168).
2. On pensait au Moyen Âge que la lèpre était transmissible par voie sexuelle, et que les femmes pouvaient transmettre la maladie sans en être elles-mêmes atteintes.
3. **S'enquit** : demanda des nouvelles.
4. **Tourbe** : boue formée de la décomposition de végétaux.
5. **Fange** : boue presque liquide et souillée.

dinaire de boue, où ils s'enfoncent jusqu'aux aubes[1] de la selle. Tous les trois tombent ensemble. Le malade était juché sur la butte, il leur cria : « Piquez ferme de l'éperon, si vous êtes en train de vous salir dans cette boue. Allez, seigneurs,
130 par le Saint Apôtre, et que chacun de vous me donne un peu de son bien ! » Les chevaux s'enfoncent dans le bourbier ; les cavaliers commencent à prendre peur, car ils ne trouvent ni la rive, ni le fond. Ceux qui joutaient sur le tertre sont accourus en hâte. Écoutez de quelle audace ment le lépreux : « Sei-
135 gneurs, dit-il à ces barons, tenez-vous bien à vos arçons ; maudite soit cette boue qui est si molle ! Ôtez ces manteaux de vos cous et traversez le marais à la brasse. Je vous affirme (je le sais très bien) que j'y ai vu aujourd'hui passer des gens. » Il fallait le voir frapper dans son hanap !
140 Sur ces entrefaites, voici qu'arrive Iseut la belle. Elle vit ses ennemis dans le bourbier ; son ami était assis sur le tertre ; elle en éprouve une grande joie, elle rit et se divertit ; elle met pied à terre sur la falaise.

Iseut, pour éviter de se salir dans le bourbier, monte à cali-fourchon sur le dos du faux lépreux. Le lendemain a lieu le serment. Grâce à sa mise en scène de la veille, Iseut peut jurer qu'elle n'a tenu aucun autre homme entre ses jambes que son mari et le lépreux qui lui a servi de bête de somme. Inconscient de l'ambiguïté du serment, Marc est pleinement satisfait et pro-met à Arthur de ne plus croire les félons à l'avenir. Cependant l'hostilité de ces derniers n'est pas désarmée. Un espion les ayant avertis que Tristan et Iseut continuent à se voir en cachette, ils décident de les épier. En arrivant au rendez-vous, Tristan tue Denoalen et coupe ses tresses pour prouver sa mort à la reine. En entrant dans la chambre, Iseut, qui s'est rendue compte de la présence de Godoïne, lui demande de bander son arc. Tristan aperçoit le traître dissimulé derrière une tenture et lui décoche une flèche mortelle. Ici s'achève le fragment de Béroul.

---

1. **Aube :** bande de fer ou planchette qui relie les deux arçons de la selle.

REPÈRES

• Quels sont les détails que Béroul nous donne sur le cadre géographique ? En quoi sont-ils importants pour l'ensemble du passage ?

OBSERVATION

• Faites la liste des différents personnages qui franchissent le bourbier. Montrez que Béroul ménage une progression : a) dans l'importance sociale des personnages ; b) dans l'importance qu'ils revêtent pour les amants. Tristan se comporte-t-il différemment en présence des pauvres écuyers et en présence des rois ? À qui réserve-t-il un traitement spécifique ?
• Relevez dans le texte les éléments qui caractérisent la maladie de la lèpre. Quelle est la place sociale qui était réservée aux lépreux d'après le texte ?
• Le déguisement de Tristan en lépreux n'a-t-il pas quelque chose de dégradant pour lui ? Quelles humiliations doit-il subir ?
• Dans le dialogue entre Marc et Tristan (l. 97-100), pourquoi Tristan dit-il à Marc qu'il est malade depuis trois ans, et que c'est son amie qui lui a transmis la maladie ? Montrez que, d'une certaine façon, il reconnaît devant le roi son adultère avec Iseut.

INTERPRÉTATIONS

• Analysez les éléments comiques de la scène.
• Montrez qu'il y a sans doute là une volonté de revanche des amants envers la société.
• Les amants sont-ils complètement épargnés dans cette scène ? En quoi le déguisement en lépreux et les réponses de Tristan à Marc mettent-ils en cause la pureté de leur amour ?

DE LA LECTURE À L'ÉCRITURE

Iseut raconte à Brengain, qui n'a pas assisté à la scène, sa joie à la vue des barons salis par la boue. Imaginez un bref dialogue entre les deux femmes.

Les amants en lutte

Tout au long du roman de Béroul, les amants adoptent plusieurs attitudes face à la société. Tant que le philtre conserve sa pleine puissance, leur amour est si fort que les amants sont incapables de le dissimuler efficacement ou de se séparer. L'affrontement avec les barons, qui représentent les exigences de la loi sociale, est inévitable. Aux offensives des barons, Tristan et Iseut répondent par une série de ruses qui visent à s'assurer le soutien du roi. Après la scène de flagrant délit, les deux amants sont obligés de quitter la cour et de vivre comme des hors-la-loi dans la forêt.

Les amants hors de la société : visages de l'exclusion

L'épisode de la forêt du Morrois résume de manière frappante ce que l'amour de Tristan et Iseut peut avoir d'antisocial. L'insistance de Béroul sur les privations alimentaires subies par les amants est révélatrice. Grâce à la force de leur amour, Tristan et Iseut supportent une série de privations qui les ramènent à un rang bien proche de l'animalité. Mais les haillons des bannis ne sont pas les seules images que Béroul utilise pour rendre sensible la marginalisation des amants. L'exclusion a un autre visage, bien plus terrible, celui de la lèpre. À diverses reprises, les amants sont associés aux lépreux : c'est à eux que Marc veut livrer Iseut après le flagrant délit, et c'est ce déguisement que Tristan adopte au Mal Pas.

L'impossible vie sans la société et la tentative de conciliation

Après l'échéance du philtre, les amants se rendent compte que la vie qu'ils mènent au Morrois est une vie dégradante, qui les conduit à négliger leurs devoirs sociaux de chevalier et de reine. Ils adoptent une attitude plus prudente et plus mesurée qui tente de concilier les exigences de la société avec celles de leur amour. Mais cet équilibre, acheté au prix d'une séparation et de nouveaux mensonges, est bien fragile et dénonce surtout l'incapacité de la société féodale à accepter la passion amoureuse lorsqu'elle se vit au grand jour.

LE ROMAN DE THOMAS

Comme *Béroul, Thomas a écrit un* Roman de Tristan *complet dont nous ne possédons plus que des fragments. S'il raconte, en gros, la même histoire que Béroul, Thomas en donne néanmoins une version qui lui est propre. Les deux récits peuvent donc diverger sur quelques points plus ou moins importants. Par exemple, si chez Béroul, Marc est le contemporain du roi Arthur, Thomas situe l'histoire du couple dans un temps postérieur au règne d'Arthur et fait de Marc le roi de toute l'Angleterre. Il donne au philtre une durée illimitée, ce qui fait de lui non seulement la cause, mais le symbole de la passion fatale des amants.*

De plus, les romans de Béroul et Thomas ont chacun leur tonalité propre. Béroul privilégie le récit des événements et des paroles. Par ses interventions, il invite le lecteur à s'identifier aux amants. Thomas, lui, s'efforce d'atténuer les aspects les plus choquants de la légende. Surtout, il insiste davantage sur l'analyse des sentiments. Grâce à une réflexion morale sur la jalousie et les autres souffrances provoquées par l'amour, il met en garde le lecteur contre les dangers de l'amour tout en l'invitant à se forger son propre jugement.

LE MARIAGE DE TRISTAN

Au service du duc de Petite Bretagne, Tristan s'est lié d'amitié avec son fils Kaherdin. Il ne tarde pas à s'apercevoir que la sœur de celui-ci, Iseut-aux-Blanches-Mains, ne demanderait pas mieux que de devenir sa femme. L'expres-

sion de ce désir plonge Tristan dans des pensées contradic-toires, exprimées dans un long monologue. Iseut-la-Blonde l'a-t-elle oublié, ou bien souffre-t-elle comme lui de leur séparation ? Mais ses doutes quant à la fidélité d'Iseut et sa jalousie à la pensée des voluptés qu'elle partage avec son mari l'emportent et le poussent à expérimenter le mariage.

« Puisque Iseut m'a aimé, puisqu'elle m'a manifesté si souvent sa joie, pour tout cela je ne dois pas la haïr, quoi qu'il puisse advenir. Et puisqu'elle oublie notre amour, je ne dois pas me souvenir d'elle davantage. Je ne dois pas continuer à
5 l'aimer, mais je ne dois pas pour autant la haïr. Mais je veux ainsi renoncer à elle comme elle fait de moi, si je le puis : par des actes, par des expériences, en cherchant comment je pourrais trouver du plaisir dans une attitude contraire à l'amour, comme elle le fait elle-même avec son mari. Ainsi, comment
10 pourrais-je expérimenter cela, sinon en épousant une femme ? En fait aucune raison ne pourrait justifier Iseut, si elle n'était l'épouse légitime de Marc ; car c'est son époux légitime qui est cause que l'amour nous abandonne. Elle ne peut pas se séparer de lui ; quel que soit son désir, il lui faut obéir à cette
15 obligation. Mais je n'y suis pas astreint[1] quant à moi. – Soit, mais je voudrais faire l'essai de son existence. Je veux épouser la jeune fille pour connaître la condition de la reine, et savoir si les épousailles[2] et l'amour charnel pourraient me la faire oublier, tout comme elle-même, à cause de son mari, a entiè-
20 rement oublié notre amour. Je n'agis pas ainsi parce que je veux la haïr, mais parce que je veux m'éloigner d'elle ou l'aimer comme elle m'aime, afin de savoir comme elle aime le roi. »

Tristan est plongé dans une grande angoisse, un grand
25 débat, une grande épreuve ; il se demande quelle attitude prendre à l'égard de cet amour. Il n'y trouve aucune raison

---

1. **Astreint :** soumis.
2. **Les épousailles :** le mariage.

si ce n'est qu'il voudrait enfin expérimenter s'il lui serait possible de trouver son plaisir contre l'amour, et si grâce au plaisir qu'il recherche, il pourrait oublier l'autre Iseut, car il
30 s'imagine qu'elle l'oublie à cause de son seigneur et du plaisir qu'elle connaît avec lui.

Il veut épouser une femme telle qu'Iseut ne le puisse blâmer en affirmant qu'il recherche le plaisir contre la raison et que cela n'est pas digne de sa valeur : car il désire Iseut aux
35 Blanches Mains pour sa beauté et pour le nom d'Iseut. Jamais, quelle qu'eût été sa beauté, si elle n'avait pas porté le nom d'Iseut, ni pour le nom sans la beauté, il n'eût éprouvé pour elle de désir : ces deux choses qui se trouvent en elle lui font décider cette entreprise, à savoir qu'il veut épouser la
40 jeune fille pour connaître la condition de la reine, et savoir comment il lui serait possible de trouver du plaisir avec sa femme contre l'amour. Il veut l'expérimenter lui-même comme Iseut l'a fait avec le roi, et il veut pour cette raison éprouver quel plaisir il pourra connaître avec Iseut. À sa dou-
45 leur, à son affliction, Tristan veut donc chercher vengeance ; à son mal, il recherche une vengeance telle qu'elle doublera son tourment. Il veut se délivrer de sa peine et ne fait qu'élever de nouveaux obstacles. Il crut qu'il y trouverait jouissance, ne pouvant trouver jouissance là où allait son vou-
50 loir[1]. En la jeune fille, Tristan remarqua le nom, la beauté de la reine. Il n'aurait voulu la prendre à cause de son nom seul, ni à cause de la beauté, n'avait été le nom d'Iseut. Si elle ne s'était pas appelée Iseut, jamais Tristan ne l'aurait aimée, si elle n'avait possédé la beauté d'Iseut, Tristan n'au-
55 rait pu l'aimer ; à cause du nom et de la beauté conjugués[2] que Tristan a trouvés en elle, il est pris de désir et de la volonté de posséder la jeune fille.

---

1. **Là où allait son vouloir** : vers Iseut-la-Blonde.
2. **Conjugués** : réunis.

REPÈRES

• En quoi un mariage avec Iseut-aux-Blanches-Mains serait-il matériellement intéressant pour Tristan ?

• En quoi le mariage de Tristan modifierait-il la situation des trois protagonistes ?

OBSERVATION

• Qui parle dans la première partie du texte ? Quel changement s'effectue à partir de la ligne 24 ? À quel moment a-t-on dans le texte des phrases qu'on ne peut attribuer à Tristan ?

• Dans un tableau à quatre colonnes, relevez tous les adverbes, les conjonctions de subordination et les prépositions qui expriment a) la cause, b) le moyen, c) le but, d) la comparaison.

• Relevez les verbes « devoir », « vouloir », « savoir » et leurs synonymes. Quelle modalité l'emporte sur les deux autres ?

INTERPRÉTATIONS

• En quoi peut-on dire que le texte présente une argumentation logique ? Cette argumentation est-elle cependant totalement rigoureuse ? Que traduisent les contradictions et les répétitions ?

• Pour quelles raisons Tristan choisit-il d'épouser Iseut-aux-Blanches Mains ?

• Pensez-vous que le mariage de Tristan sera un succès ? Justifiez votre réponse.

DE LA LECTURE À L'ÉCRITURE

Réécrivez les lignes 45-50 comme si le narrateur était favorable au mariage de Tristan.

Après avoir longuement analysé les sentiments de Tristan, Thomas se lance dans une réflexion morale qui dénonce l'inconstance des gens et l'amour déraisonnable du changement, qui fait tomber de mal en pis.

Tristan demande et obtient la main d'Iseut-aux-Blanches-Mains. Leur mariage est célébré en grande pompe. Le soir des noces, quand Tristan retire sa tunique ajustée aux manches, il fait tomber l'anneau qu'Iseut lui avait donné. La vue de cet anneau lui rappelle les serments de fidélité échangés et le plonge dans de profondes et douloureuses pensées, analysées à nouveau dans un monologue intérieur. Tristan prend conscience qu'il ne veut pas de ce mariage, qu'il est incapable de trahir son amie, mais qu'il ne peut pas non plus abandonner la femme qu'il a épousée. Il décide donc de ne pas consommer le mariage.

Comme pour souligner la situation fausse où Tristan s'est lui-même placé, le récit retourne alors à Iseut-la-Blonde qui, loin de l'avoir oublié, se désole de ne pas avoir de ses nouvelles.

LE COMBAT CONTRE L'ORGUEILLEUX

Iseut dans sa chambre soupire pour Tristan qu'elle désire si fort. En son cœur, elle ne peut penser à autre chose qu'à son amour pour Tristan. Elle n'a pas d'autre volonté, d'autre amour, ni d'autre espoir ; elle a mis en lui tout son désir, et
5 pourtant elle ne peut obtenir la moindre nouvelle de lui. Elle ne sait ni en quel pays il se trouve, ni même s'il est mort ou vivant. Elle éprouve une douleur d'autant plus grande que voilà bien longtemps qu'elle n'a obtenu de nouvelle certaine. Elle ne sait pas qu'il est en Bretagne ; elle le croit encore en
10 Espagne, où il tua le géant, neveu de l'Orgueilleux, qui, parti d'Afrique, allait de royaume en royaume provoquer en combat les rois et les princes.

L'Orgueilleux était hardi et vaillant, il les combattit tous

les uns après les autres ; il en blessa et en tua plusieurs, et
15 prit les barbes de leur menton. Il fit un grand manteau de
barbes, très ample et à longue traîne. Il entendit parler du roi
Arthur qui, sur les rois de tous pays, montrait un si grand
honneur, une telle hardiesse et une telle valeur, qu'il n'avait
jamais été vaincu en combat singulier ; il avait combattu
20 maints adversaires, et il les avait tous vaincus. Quand le géant
apprit cela, il fit savoir à Arthur, en termes amicaux, qu'il
possédait un nouveau manteau auquel il manquait bordure
et frange encore, fait des barbes des rois, des barons et des
princes d'autres régions qu'il avait conquis en bataille, ou
25 tués de vive force en combat singulier, et il s'en était fait un
vêtement aussi riche qu'il convenait à la dignité de barbes
royales, mais il y manque encore la bordure. Et parce qu'Arthur est le plus haut de tous, roi de cette terre et de ce riche
domaine, il lui demande donc, pour l'amour de lui, de faire
30 raccourcir sa barbe, et de la lui envoyer pour sa gloire, car
il lui fera un très grand honneur en l'élevant au-dessus de
toutes les autres. Étant donné qu'il est puissant monarque[1]
et souverain sur tous les autres, il veut honorer spécialement
sa barbe, si Arthur veut bien la raccourcir pour lui. Il la
35 mettra par-dessus toutes les autres, et en fera une bordure et
des franges ; mais si Arthur refuse de l'envoyer, alors l'Orgueilleux agira avec lui ainsi qu'il a coutume de faire, il mettra comme enjeu sa pelisse[2] contre la barbe d'Arthur, et il
combattra contre lui ; et celui qui pourra vaincre dans cette
40 bataille possédera sans faute à la fois la barbe et le manteau.

Quand Arthur entendit cette nouvelle, il en éprouva dans
son cœur douleur et colère, et il fit savoir en réponse au géant
qu'il préférait combattre plutôt que, par crainte, abandonner
sa barbe comme un lâche. Lorsque le géant apprit ce que lui
45 avait répondu le roi, il vint le provoquer très vivement aux
marches mêmes de son royaume, pour combattre contre lui.

---

1. **Monarque** : roi.
2. **Pelisse** : manteau doublé ou garni de fourrure.

Combat de Tristan contre le Morholt, Bibliothèque des Arts Décoratifs.

Par la suite, ils se rencontrèrent tous deux en champs clos[1], avec pour enjeu le manteau et la barbe ; ils s'élancèrent au combat avec une grande colère. Ils poursuivirent toute une journée une dure bataille, un combat acharné ; le lendemain, Arthur vainquit le géant, et lui ôta le manteau et la tête ; c'est ainsi qu'il prit le meilleur sur lui, par sa vaillance et sa hardiesse.

Tout ce récit n'appartient pas à mon sujet ; cependant, il était bon que je vous dise que le géant que Tristan affronta était le neveu de celui qui voulait s'emparer des barbes royales. Il vint demander la barbe du roi, de l'empereur, que Tristan servait à ce moment-là, quand il était encore en Espagne, avant qu'il ne revînt en Bretagne. Mais, il ne voulait pas la lui donner, et, cependant, il ne pouvait trouver dans tout le pays, parmi ses parents, ses amis, un chevalier qui, alors, veuille défendre sa barbe et combattre contre le géant. Le roi en était très affligé, et il exprima ses plaintes devant toute la cour ; c'est alors que Tristan entreprit l'aventure pour l'amour de lui ; il livra un très dur combat, une bataille très éprouvante ; elle fut douloureuse pour l'un et l'autre. Tristan y fut gravement blessé, et en son corps souffrit dommage et blessures. Tous ses amis s'en attristèrent, mais le géant y fut tué.

Depuis l'époque de cette blessure, Iseut n'entendit parler d'aucune autre aventure. Car c'est la coutume de l'envie[2] de parler beaucoup du mal et de ne rien dire du bien. Car l'envie dissimule les faits de valeur et propage le bruit des mauvaises actions. C'est pour cela que dans un vieux livre, le Sage dit à son fils : « Mieux vaut se passer de compagnie plutôt que de vivre dans la compagnie d'envieux, et rester nuit et jour sans compagnon plutôt que d'en avoir un en qui l'on ne rencontre aucune affection. » L'envieux cachera le bien qu'il sait, et dira le mal parce qu'il hait son compagnon ; si celui-ci fait

---

1. **Champ clos** : lieu limité par des barrières où se déroulaient les duels.
2. **De l'envie** : des envieux (figure de personnification).

REPÈRES

• Iseut a–t–elle oublié Tristan ? En quoi son attitude contraste-t-elle avec les soupçons de Tristan dans le passage précédent ?
• Le récit de Thomas bouleverse l'ordre chronologique des événements. Reconstituez-le sur une frise du temps.

OBSERVATION

• Dans le texte, relevez les lignes que l'auteur consacre : a) à l'évocation des sentiments d'Iseut ; b) à l'Orgueilleux et à son combat contre Arthur ; c) au combat de Tristan contre le neveu de l'Orgueilleux ; d) aux méfaits de l'envie.
• Le récit du combat d'Arthur contre l'Orgueilleux est-il indispensable à la compréhension de l'histoire ? Comment appelle-t-on de tels passages où l'auteur s'éloigne un peu de son sujet ? Citez la phrase qui montre que Thomas est conscient des reproches qu'on pourrait lui faire.
• En quoi les lignes 71-81 s'appliquent-elles à la situation des amants ? En quoi constituent-elles un discours plus général qui pourrait s'appliquer à n'importe qui ?

INTERPRÉTATIONS

• Montrez que le géant affronté par Tristan ressemble en tous points à celui combattu par Arthur. En quoi ce parallélisme contribue-t-il à grandir l'image chevaleresque de Tristan ?

DE LA LECTURE À L'ÉCRITURE

Le neveu de l'Orgueilleux vient demander sa barbe au roi d'Espagne. Imaginez son discours (vous pouvez vous inspirer des l. 21-40).

80 le bien, il n'en parlera jamais, mais il ne dissimulera le mal
à personne.

C'est pour cela qu'il vaut mieux vivre sans compagnon,
plutôt qu'avec un homme dont il ne peut venir que du mal.
Tristan a des compagnons en grand nombre dont il est haï
85 ou peu aimé, et il en est de tels dans l'entourage du roi Marc,
qui ne l'aiment ni ne lui témoignent de l'affection ; ils cachent
à Iseut le bien qu'ils entendent de lui, et ils propagent partout
ce qu'on en dit de mal. Ils ne veulent répandre le bien qu'ils
entendent dire de lui à cause de la reine, qui le désire, et parce
90 que ce sont des envieux, ils disent de Tristan ce qu'elle hait
le plus.

LE LAI DE GUIRON

Dans sa chambre, la reine un jour est assise, et elle chante
un émouvant lai d'amour : comment le seigneur Guiron fut
surpris et tué pour l'amour de la dame qu'il aimait plus que
tout au monde, et comment ensuite le comte donna un jour
5 à sa femme, par ruse, le cœur de Guiron à manger, et quelle
douleur éprouva la dame quand elle apprit la mort de son
ami.

La dame chante doucement, elle accorde sa voix à l'instrument ; belles sont ses mains, le lai harmonieux, douce la voix,
10 et bas le ton. Survint alors Cariado, puissant comte posses-
seur d'un grand alleu[1], de beaux châteaux, de riches terres.
Il était venu à la Cour pour presser la reine d'amour[2] ; mais
Iseut considère que c'est une grande folie. Il l'avait déjà sol-
licitée à plusieurs reprises depuis que Tristan avait quitté le
15 pays. Il venait donc pour la courtiser ; mais il ne put jamais
réussir, ni jamais arracher à la reine une marque de faveur,
si faible soit-elle ; il n'obtint jamais la plus minime récom-

---

1. **Alleu** : domaine dont le propriétaire ne dépend d'aucun seigneur.
2. **Presser d'amour** : solliciter l'amour de.

pense, ni promesse, ni présent. Il a séjourné longuement à la cour, à cause de cet amour. C'était un très beau chevalier,
20 courtois, orgueilleux et fier, mais il n'était guère digne d'éloges pour ce qui est de porter les armes.

Il était beau parleur et disert[1], fort galant et grand diseur de plaisanteries.

Il trouve Iseut chantant un lai, et dit en riant : « Dame, je
25 sais bien qu'on entend chanter l'effraie[2] au moment où l'on va parler d'un mort, car son chant est signe de mort ; mais votre chant, si je ne me trompe, signifie la mort de l'effraie elle-même : quelque effraie vient de perdre la vie. – Vous dites vrai, lui répond Iseut. Je veux bien que ce chant signifie la
30 mort de l'effraie ; on peut bien l'appeler chat-huant[3] ou effraie, celui dont le chant effraie qui l'entend. Vous devez bien redouter de mourir, puisque vous craignez mon chant, car vous êtes bien effraie, par la nouvelle que vous apportez. Je ne crois pas que vous apporteriez jamais une nouvelle dont
35 on puisse se réjouir, ni que vous n'entriez jamais ici sans être porteur de mauvaises nouvelles. Il en est de vous tout ainsi qu'il en fut jadis d'un paresseux qui ne se levait jamais du coin de son feu si ce n'est pour provoquer la colère de quelqu'un. Vous ne sortirez jamais de votre demeure, à moins
40 que vous n'ayez appris quelque nouvelle que vous puissiez colporter[4]. Vous ne voulez pas partir au loin pour accomplir quelque exploit qui fasse parler de vous. Jamais l'on n'apprendra sur votre compte nouvelle dont vos amis puissent tirer honneur et dont ceux qui vous haïssent éprouvent du
45 dépit. Vous voulez toujours parler des actions d'autrui, mais on ne parlera jamais des vôtres. »

---

1. **Disert** : bavard.
2. **Effraie** : oiseau nocturne, dont le nom en ancien français (*fressaie*) signifie étymologiquement de « mauvais augure », et considéré dès l'Antiquité comme annonçant la mort. Cariado prétend que le chant d'Iseut est un signe de mauvais augure, non pour autrui mais pour elle-même.
3. **Chat-huant** : oiseau nocturne (chouette, hibou).
4. **Colporter** : propager.

REPÈRES

• Quel est le rapport entre le Lai de Guiron et l'histoire des deux amants ? Montrez que l'insertion par Thomas du résumé du lai n'est pas un détail gratuit mais qu'il a pour but de créer une atmosphère dramatique.

OBSERVATION

• Le portrait de Cariado (l. 19-22) : notez dans un tableau à deux colonnes les éléments laudatifs et péjoratifs du portrait. Quels éléments sont réaffirmés dans le discours d'Iseut et confirmés par le comportement de Cariado ?

• Le dialogue entre Iseut et Cariado : a) À qui Cariado assimile-t-il Iseut ? Comment s'appelle cette figure de style qui consiste à employer une image au lieu du terme propre ? Quels sont les éléments qui justifient cette assimilation ? Comment Iseut réussit-elle à se défendre et à menacer Cariado ? (l. 24-46) ; b) Quelle nouvelle Cariado annonce-t-il à Iseut ? Qu'espère-t-il obtenir d'elle ? Montrez comment la réponse d'Iseut met fin à ses espoirs. (l. 47-66)

INTERPRÉTATIONS

• Quelles sont les différences entre Cariado et Tristan ? Peut-on expliquer le refus d'Iseut d'aimer Cariado uniquement par l'effet du philtre qui la lie à Tristan ? Justifiez votre réponse.

DE LA LECTURE À L'ÉCRITURE

Écrivez un bref récit qui retrace l'histoire de Guiron et de son amante. Faites le portrait d'une personne dont les qualités physiques ne sont pas en accord avec les qualités morales.

Cariado alors lui répond : « Vous ressentez de la colère, mais je ne sais pourquoi ; bien fou qui s'effraie de vos paroles. Je suis donc le chat-huant, et vous l'effraie ! Quoi
50 qu'il en puisse être de ma propre mort, je vous apporte de mauvaises nouvelles de Tristan, votre ami : vous l'avez perdu, dame Iseut. Il a pris femme en un autre royaume. Désormais vous pourrez chercher ailleurs, car il dédaigne votre amour, et a pris une femme d'une haute noblesse, la fille du duc de
55 Bretagne. » Iseut répond avec grand dépit[1] : « Toujours vous avez été chat-huant pour dire du mal du seigneur Tristan ! Que jamais Dieu ne m'accorde de connaître le bonheur si je ne suis effraie à votre égard ! Vous m'avez annoncé une mauvaise nouvelle ; je ne vous en dirai pas quant à moi une
60 agréable aujourd'hui. Soyez-en sûr, c'est en vain que vous m'aimez. Jamais vous ne recevrez la moindre faveur de moi. De ma vie je ne vous aimerai jamais, ni ne favoriserai votre amour. J'aurais bien mal agi, si c'était votre amour que j'avais choisi. Je préfère avoir perdu le sien plutôt que
65 d'agréer[2] le vôtre. Vous m'avez annoncé une nouvelle dont certes, vous ne tirerez jamais profit. »

Elle est prise d'une grande tristesse, et Cariado s'en rend bien compte. Il ne veut pas par ses paroles la plonger dans l'angoisse, ni la railler, ni la courroucer[3] ; il sort vivement
70 de la chambre ; Iseut manifeste maintenant une grande douleur.

LE PAUVRE SOUS L'ESCALIER

Avant de poursuivre son récit, Thomas s'interroge sur la situation de ses quatre personnages. Lequel d'entre eux est

---

1. **Dépit** : chagrin mêlé de colère, dû à une déception personnelle.
2. **Agréer** : accepter.
3. **Courroucer** : mettre en colère.

le plus malheureux ? Iseut-la-Blonde qui doit se partager entre son amant et son mari ? Marc, à qui il manque l'amour de sa femme ? Tristan, qui refuse de consommer son mariage et souffre de l'absence de celle qu'il aime ? Ou Iseut-aux-Blanches-Mains, qui ne reçoit de son mari ni amour ni plaisir ? Thomas ne saurait le dire et laisse aux lecteurs qui connaissent l'amour le soin de juger.

Kaherdin finit par comprendre que Tristan n'aime pas sa sœur. Pour justifier sa conduite, Tristan l'emmène dans la Salle aux Images, retraite secrète où il a sculpté deux statues parfaitement ressemblantes d'Iseut et de sa suivante. Kaherdin est séduit par l'image de Brengain. Les deux hommes s'embarquent donc pour l'Angleterre. Tristan retrouve son amie et Brengain, encouragée par Iseut, accepte de devenir l'amante de Kaherdin. Mais Cariado les découvre et Tristan et Kaherdin doivent prendre la fuite. Cariado prétend que cette fuite est la preuve de la lâcheté de Kaherdin. Brengain entre alors dans une violente colère et reproche à Iseut de l'avoir poussée à prendre un couard pour amant, dans le seul but de faciliter ses coupables rencontres avec Tristan. Elle menace de tout révéler à Marc, qu'elle va voir en effet. Mais heureusement pour les amants, elle se ravise et raconte au roi qu'Iseut est sur le point de succomber aux avances de Cariado. Cette fable habile lui permet de se venger de Cariado et d'être chargée de la surveillance d'Iseut. Tristan, pris de remords d'avoir abandonné les deux femmes, rebrousse chemin, mais la colère de Brengain n'a pas encore faibli. Permettra-t-elle aux deux amants de se revoir ?

Tristan était fort épris d'amour ; il s'affuble[1] d'un pauvre accoutrement[2], de pauvres vêtements, d'un vil[3] habit, afin que nul ni nulle ne puisse penser ni ne s'aperçoive qu'il s'agit

---

1. **S'affuble** : s'habille, se déguise.
2. **Accoutrement** : habillement ridicule.
3. **Vil** : qui inspire le mépris.

de Tristan ; il trompe tous ses ennemis, à l'aide d'une herbe ;
5   il fait se tuméfier[1] et enfler tout son visage, comme s'il était
lépreux, pour se dissimuler avec sûreté ; il se tourne les pieds
et les mains ; il se donne la physionomie d'un lépreux, puis
il prend un hanap de madre[2] que la reine lui donna la première année de leur amour ; il y met une grosse bille de buis[3],
10 et ainsi, se fabrique une cliquette[4] de lépreux. Il s'en va
ensuite à la cour du roi, et s'installe près des entrées. Il désire
beaucoup savoir et voir ce qui se passe à la cour. Souvent il
supplie les passants, souvent il fait retentir sa cliquette, mais
il ne peut entendre aucune nouvelle qui lui réjouisse si peu
15 que ce soit le cœur. Un jour le roi célébrait une fête ; Marc
alla donc à l'église haute pour y entendre la grand'messe. Il
sortit du palais, et la reine venait derrière lui. Tristan la voit,
il lui réclame une aumône, mais Iseut ne le reconnaît pas. Il
suit le cortège tout en agitant sa cliquette, il appelle Iseut à
20 haute voix, et lui demande quelque don, pour l'amour de
Dieu, d'une voix attendrissante, et propre à faire naître la
compassion[5]. Tandis que la reine avance ainsi, les sergents[6]
le tournent en dérision : l'un le bouscule, l'autre le pousse,
ils le rejettent hors du cortège ; l'un le menace, l'autre le
25 frappe. Il continue à les suivre, et il leur demande, au nom
de Dieu, de lui faire quelque charité. Il ne s'en retourne pas,
quelle que soit la menace. Tous le considèrent comme importun[7], ils ne savent pas que toute cette comédie est volontaire.
Il suit le cortège jusque dans la chapelle ; il crie, et fait retentir
30 son hanap à leur intention. Iseut en est toute troublée. Elle
lui jette des regards de femme en colère, et se demande ce
qu'il peut bien désirer pour s'approcher aussi près d'elle. Elle

---

1. **Se tuméfier** : grossir anormalement.
2. **Hanap de madre** : grand gobelet en bois.
3. **Buis** : sorte d'arbuste.
4. **Cliquette** : crécelle.
5. **Compassion** : pitié.
6. **Sergents** : officiers subalternes.
7. **Importun** : qui dérange.

vit le hanap, qu'elle reconnut ; elle vit bien que c'était Tristan
à cause de son beau corps, de son allure, de sa stature. En
35 son cœur, elle en est saisie d'effroi, son visage change de couleur, car elle a grand-peur du roi ; elle retire de son doigt un
anneau d'or, elle ne sait comment faire pour le donner à
Tristan ; elle veut le jeter dans son hanap. Comme elle le
tenait dans la main, Brengain s'en est aperçue ; elle regarda
40 Tristan, et le reconnut, elle se rendit compte de sa ruse. Elle
l'appelle fou et coquin d'être venu ainsi se jeter parmi les
barons. Elle traite de vilains les sergents qui souffrent ce
malade parmi les gens sains[1] ; et à Iseut elle dit qu'elle est
dissimulée[2] : « Depuis quand êtes-vous si sainte que vous
45 donnez aussi largement aux malades et aux pauvres gens ?
Vous voulez lui donner votre anneau ? Par ma foi, Dame,
vous n'en ferez rien. Ne donnez pas en quantité telle que vous
deviez vous en repentir après. Et si vous lui faites ce don
maintenant, vous vous en repentirez aujourd'hui même. »
50 Aux sergents qu'elle voit à proximité, elle dit qu'il soit jeté
hors de l'église ; ils le mettent à la porte, et Tristan n'ose
continuer à prier les passants.

Tristan voit bien et sait bien maintenant que Brengain les
hait, Iseut et lui ; il ne sait ce qu'il lui est humainement pos-
55 sible de faire. Dans son cœur il éprouve une grande angoisse ;
elle l'a fait chasser très vilement. Ses yeux versent des larmes
de tendresse. Il plaint son aventure et sa jeunesse, et se plaint
de s'être un jour engagé corps et âme dans l'amour ; il en a
souffert tant de douleurs, tant de peines, tant de peurs, tant
60 d'angoisses, tant de périls, tant d'infortunes, tant d'exils, qu'il
ne peut alors s'empêcher de pleurer. Il y avait dans la cour
une vieille bâtisse délabrée et qui tombait en ruine. Tristan
alors se cache sous l'escalier, il se plaint de son infortune, de
sa grande peine, et de la vie qu'il mène depuis si longtemps.
65 A force de se tourmenter, de jeûner, de veiller, il est devenu

---

1. **Sains :** en bonne santé.
2. **Dissimulée :** hypocrite.

très faible. Sous l'escalier, Tristan languit de ses grandes fatigues et de ses efforts douloureux, il désire sa mort et hait sa vie. il ne pourra jamais se relever si l'on ne vient à son secours. Iseut est profondément plongée dans ses pensées. Elle
70 se clame malheureuse de voir partir ainsi l'être qu'elle aime le plus au monde ; cependant, elle ne sait que faire, elle pleure et soupire souvent, maudit l'heure et maudit le jour où elle demeure si longtemps en vie.

La cour entend le service, à l'église, puis tous vont au palais
75 pour manger, et passent toute la journée en réjouissances, et dans l'allégresse. Mais Iseut n'en éprouve aucun plaisir. Il arriva ainsi avant la nuit que le portier eut grand froid dans la cabane où il se tenait ; il dit à sa femme d'aller chercher du bois, et de lui en rapporter. La dame ne voulut pas aller
80 loin, elle pouvait trouver sous l'escalier du bois sec et de vieilles planches ; et elle y va sans tarder ; la femme dans l'obscurité entre ; elle y trouve Tristan endormi, elle touche son vêtement d'esclavine[1] velue, et se met à crier, peu s'en faut qu'elle ne perde la tête, elle croit que c'est le diable, car
85 elle ne savait pas ce que cela pouvait être ; dans son cœur, elle en éprouve un grand effroi ; elle revient, et dit la chose à son mari. Celui-ci se rend à la salle en ruine, allume une chandelle, et tâte. Il découvre alors Tristan étendu, et qui déjà est près de mourir, il se demande ce que cela peut être, il
90 s'approche avec sa chandelle. Le portier se rend compte alors, à l'aspect du corps, qu'il s'agit d'une forme humaine. Il le trouve plus froid que glace. Il demande à Tristan qui il est et ce qu'il fait, comment il est venu sous cet escalier. Tristan lui a tout expliqué, qui il était, et la raison pour laquelle il est
95 venu dans la maison. Tristan avait une grande confiance en lui, et le portier aimait Tristan ; avec de grands efforts, à grand-peine, il le conduit jusque dans sa cabane ; il prépare un lit moelleux pour le coucher, il lui cherche à boire et à

---

1. **Esclavine** : tissu grossier.

manger. Il porte son message à Iseut et à Brengain, comme
100 il avait coutume de le faire ; mais quoi qu'il puisse dire, il ne
peut trouver grâce auprès de Brengain.

Iseut appelle à elle Brengain et lui dit : « Noble demoiselle,
avec Tristan j'implore votre pitié ; allez lui parler, je vous en
prie, réconfortez-le dans sa douleur ; il meurt d'angoisse et
105 de tristesse ; vous l'aimiez tant autrefois ! Belle, allez donc le
réconforter ! Il ne désire rien d'autre que votre venue. Dites-
lui du moins la raison pour laquelle vous le haïssez, et depuis
quand. » Brengain répond : « Vous en parlez en vain, jamais
il n'aura de moi le moindre réconfort. Je lui souhaite la mort
110 beaucoup plus que la vie ou que la santé. Désormais il ne me
sera plus reproché qu'avec mon aide, vous ayez commis
quelque folie ; je ne veux pas couvrir la félonie[1]. On a
raconté laidement de nous que c'est grâce à moi que vous
avez commis tous vos méfaits, et que j'avais coutume de dis-
115 simuler vos entreprises par ma tromperie et ma ruse. Ainsi
en est-il pour quiconque sert un félon : tôt ou tard il perd le
fruit de ses efforts. Je vous ai servis de tout mon pouvoir ;
c'est pour cela que vous m'en savez mauvais gré. Si vous
preniez en considération la noblesse de cœur, vous m'auriez
120 rendu un autre service, et vous m'auriez donné une autre
récompense pour ma peine que de me faire couvrir de honte
par un tel baron[2]. »

Iseut lui répond : « Ne parlez plus de cela. Vous ne devez
pas me reprocher ce que je vous ai dit sous le coup de la
125 colère ; j'ai du chagrin, certes, de l'avoir fait. Je vous prie de
me le pardonner, et d'aller trouver Tristan, car jamais il ne
retrouvera la joie s'il ne peut vous parler. » Elle l'a tant flat-
tée, tant priée, elle lui a fait tant de promesses, elle a tant
imploré sa pitié, que Brengain va parler à Tristan, et le récon-
130 forter, dans la cabane où il est étendu. Elle le trouve malade

---

1. **Félonie** : trahison.
2. **Un tel baron** : Kaherdin.

REPÈRES

• Quelle a été la position de Brengain par rapport aux amants jusqu'à présent ?

OBSERVATION

• Dégagez les éléments qui constituent une humiliation pour le chevalier qu'est Tristan (l.1-52). En quoi la cachette sous l'escalier constitue-t-elle une image forte qui résume la position de Tristan à la cour ?

• Relevez les termes qui appartiennent au champ lexical de la tristesse et de la douleur (l. 53-73). Montrez que l'état d'esprit des amants contraste avec celui de la cour. Quel est l'effet de ce décalage ?

• De quels moyens les amants disposent-ils pour communiquer ? Pourquoi Brengain leur est-elle indispensable ?

• Comment Thomas motive-t-il la découverte de Tristan sous l'escalier (l. 77-95) ? Relevez tous les détails qui visent à rendre cette découverte vraisemblable.

• Dans la réponse de Brengain à Iseut (l. 108-122), montrez que les mots qu'elle utilise pour parler de l'amour des amants sont ceux employés d'habitude par leurs ennemis.

• Est-ce parce qu'elle prend pitié de Tristan que Brengain décide d'aider les amants (l. 132-140) ? Quel est l'élément qui la décide ?

INTERPRÉTATIONS

• Comparez cet épisode avec celui du Mal Pas chez Béroul (voir pp. 66-71) Montrez que, malgré des similitudes dans la situation de départ, la tonalité est complètement différente.

DE LA LECTURE À L'ÉCRITURE

Imaginez le récit de la femme du portier à son mari.

Le fragment de Béroul se terminait sur la victoire de Tristan sur les barons félons. Dans les fragments conservés de Thomas, ce conflit d'ordre féodal entre le roi, son neveu et les barons n'est jamais évoqué à nouveau. En revanche, Thomas suscite de nouveaux opposants aux amants. Leur hostilité ne s'exprime plus par des rivalités d'ordre politique mais par des conflits d'ordre personnel et sentimental.

Le mariage de Tristan ou le choix du pire

Tout se passe comme si Tristan voulait se créer un nouvel ennemi en la personne d'Iseut-aux-Blanches-Mains. En choisissant de tenter l'expérience du mariage mais en refusant de le consommer, il commet une faute envers sa femme et s'expose à sa haine ainsi qu'au mépris et aux représailles des parents de la jeune fille.

Cariado ou l'oiseau de mauvais augure

Cariado, l'amant dédaigné d'Iseut-la-Blonde, tente aussitôt d'exploiter ce manquement de Tristan envers son amie. Même s'il échoue à provoquer la réaction de dépit qui aurait jeté la jeune femme dans ses bras, il provoque sa tristesse. Dans ce passage, les présages de mort se multiplient et le mariage, au lieu d'être une force de vie, se signale bien comme une pulsion de mort.

La colère de Brengain

Cariado est aussi responsable de la colère de Brengain. La fidèle suivante d'Iseut, qui a toujours été à ses côtés une aide précieuse et efficace, devient une redoutable gardienne qui empêche les amants de se réunir. Là encore, la présence de la mort se fait menaçante. Tristan, mendiant et martyr d'amour qui se meurt sous l'escalier (ce motif est emprunté à la légende de saint Alexis), n'a plus rien du valeureux chevalier qui combattait l'Orgueilleux.

et très faible, pâle de visage, le corps débile[1], amaigri, ayant perdu toute couleur. Brengain le voit qui se plaint et soupire tendrement, et d'une voix émouvante, il la prie de lui dire, pour l'amour de Dieu, pour quelle raison elle lui porte tant
135 de haine, et de lui dire la vérité. Tristan lui a assuré que ce n'est pas vérité que la conduite qu'elle impute[2] à Kaherdin, et qu'il le fera venir à la cour pour démentir[3] Cariado. Brengain le croit, elle accepte sa parole, si bien qu'ils se réconcilient, et ils vont ensuite trouver la reine, qui est seule dans
140 une chambre de marbre ; tous se réconcilient avec de grandes marques d'affection, puis ils soulagent leur douleur. Tristan se divertit dans la compagnie d'Iseut. Après qu'ils ont passé ensemble une grande partie de la nuit, Tristan prend congé au lever du jour, et il s'en retourne vers son pays ; il trouve
145 Kaherdin qui l'attend, et il passe la mer au premier vent.

Iseut, pour s'associer aux souffrances de Tristan, décide de mener une vie austère et de porter un corselet de cuir sous ses vêtements en signe de pénitence. Tristan et Kaherdin font une nouvelle expédition en Angleterre pour revoir leurs amies. Ils participent à des jeux sportifs dans lesquels ils excellent. Au cour d'une joute, Kaherdin tue Cariado et les deux amis doivent à nouveau s'enfuir. Thomas, rejetant les versions des autres conteurs, annonce alors qu'il va raconter l'histoire véridique de la mort de Tristan.

LA BLESSURE FATALE

En Bretagne sont retournés joyeux Tristan et Kaherdin, et ils se divertissent gaiement avec leurs amis et leurs gens ; et ils vont souvent chasser en forêt, et prendre part à des tour-

---

1. **Débile** : faible physiquement.
2. **Impute** : attribue faussement.
3. **Démentir** : contredire.

nois dans les marches[1]. Ils emportèrent le prix et la louange
5 en matière de chevalerie et d'honneur sur tous les chevaliers
du pays ; et quand ils avaient quelque loisir, alors ils allaient
dans les bois pour voir les belles images[2]. Ils prenaient plaisir
à contempler[3] les images à cause du grand amour qu'ils por-
taient à leurs dames. Le divertissement qu'ils y trouvaient le
10 jour compensait la tristesse de leurs nuits. Un jour, ils étaient
allés chasser, et ils étaient sur le chemin du retour ; leurs
compagnons étaient partis au-devant d'eux, ils se trouvaient
tous deux seuls. Ils traversaient la Blanche Lande, et regar-
daient à droite, du côté de la mer : ils virent venir un chevalier
15 au galop sur un destrier à la robe de plusieurs tons. Il était
très richement armé. Il portait écu[4] d'or à fretté vair[5] ; la
lance était de la même couleur, ainsi que le pennon[6] et la
connaissance[7]. Il vient au galop par un sentier, bien à cou-
vert, enfermé derrière son écu. Il était élancé, grand et soli-
20 dement bâti ; en armes, c'était un beau chevalier. Tristan et
Kaherdin attendent tous deux la rencontre dans le chemin.
Ils se demandent grandement qui il peut être. Il vient vers
eux, dès qu'il les voit, et les salue très doucement ; Tristan
lui rend alors son salut, puis il lui demande où il va, quel
25 besoin et quelle hâte le poussent. « Sire, lui dit alors le chevalier, pourriez-vous m'apprendre où se trouve le château de
Tristan l'Amoureux ? » Tristan répond : « Que lui voulez-
vous ? Qui êtes-vous ? Quel est votre nom ? Nous vous
conduirons volontiers à sa demeure, et si c'est à Tristan que
30 vous voulez parler, il ne vous est pas nécessaire d'aller plus

---

1. **Marches** : régions frontalières du royaume.
2. **Les belles images** : les statues d'Iseut et de Brangain.
3. **Contempler** : regarder avec adoration.
4. **Écu** : bouclier.
5. **Fretté vair** : termes qui décrivent le blason du chevalier.
6. **Pennon** : bannière.
7. **Connaissance** : marque que porte le chevalier sur son écu et ses armes pour qu'on le reconnaisse au combat.

loin, car on m'appelle Tristan ; dites-moi ce que vous voulez. »

Il répond : « J'apprécie cette nouvelle. Mon nom est Tristan le Nain ; je suis de la marche de Bretagne et je demeure
35 juste sur les bords de la mer d'Espagne[1]. J'y avais un château et une belle amie, que j'aime autant que ma propre vie, mais un grand malheur me l'a fait perdre ; elle m'a été arrachée dans la nuit d'avant-hier. Estout l'Orgueilleux du Chastel Fier[2] l'a fait emmener de force. Il la retient dans son château
40 et la traite selon son bon plaisir. J'en ai au cœur une douleur si grande que peu s'en faut que je ne meure de tristesse, de douleur et d'angoisse. Je ne sais ce qu'il m'est humainement possible de faire ; sans elle je ne puis connaître de réconfort : puisque j'ai perdu mon plaisir, ma joie et mon bonheur, je
45 ne fais plus grand cas de la vie. Sire Tristan, je l'ai bien entendu dire : à celui qui perd ce qu'il désire le plus, tout le reste ne doit compter que pour peu de chose. Je n'ai jamais éprouvé de si grande douleur, et c'est pour cela que je suis venu à vous : vous êtes craint et redouté, et en valeur, le tout
50 premier des chevaliers, le plus noble, le plus droit, et celui qui a le plus aimé de tous ceux qui ont vécu. C'est pour cela, Sire, que j'implore votre pitié ; je fais appel à votre noblesse, et je vous prie de m'accompagner dans cette affaire, et de rechercher pour moi mon amie. Je vous ferai hommage et me
55 déclarerai votre homme lige, si vous m'aidez dans cette entreprise. »

Tristan dit alors : « Ami, en vérité, je vous aiderai de tout mon pouvoir. Mais allons maintenant à ma demeure ; nous nous équiperons vers le matin pour l'aventure, et nous mène-
60 rons cette affaire à bien. » Quand il entend que Tristan dif-

---

1. **La mer d'Espagne** : l'océan Atlantique.
2. **Estout l'Orgueilleux du Chastel Fier** : Le nom de ce personnage est particulièrement parlant, et suffit à le caractériser comme un ennemi effrayant. « Estout » en ancien français signifie « téméraire, violent » et l'adjectif « fier », qui qualifie son château, « sauvage », « redoutable ».

fère le départ, Tristan le Nain dit avec colère : « Par ma foi,
ami, vous n'êtes pas celui qui a tant de prix ! Je sais bien
que, si vous étiez Tristan, vous ressentiriez la douleur que
j'éprouve, car Tristan a tant aimé qu'il connaît bien le mal
65 que sentent les amants. Si Tristan entendait ma douleur, il
m'aiderait dans cet amour ; il ne prolongerait pas une telle
peine et un tel chagrin. Qui que vous soyez, bel ami, je crois
bien que vous n'avez jamais aimé. Si vous saviez ce qu'est
l'amitié, vous auriez pitié de ma douleur ; qui ne sut jamais
70 ce qu'est l'amour ne peut savoir ce qu'est la douleur, et vous,
ami, qui n'aimez aucune femme, vous ne pouvez sentir ma
douleur ; si vous pouviez sentir ma douleur, alors vous vou-
driez venir avec moi. Adieu ! Je vais aller quérir[1] Tristan, et
je le trouverai. Ce n'est que par lui que je pourrai trouver le
75 réconfort. Jamais je n'ai été aussi éperdu[2] ! Ah Dieu ! Pourquoi ne pas mourir, puisque j'ai perdu ce que je désire le
plus ? J'aurais préféré ma propre mort, car je ne connaîtrai
aucun réconfort, ni plaisir, ni joie en mon cœur, puisque par
un tel rapt[3], j'ai perdu l'être que j'aime le plus au monde. »
80 Ainsi se plaint Tristan le Nain ; il veut prendre congé.
L'autre Tristan a pitié de lui et dit : « Beau sire, arrêtez-vous ;
à juste titre vous m'avez montré que je dois vous accompagner, puisque je suis Tristan l'Amoureux, et j'irai volontiers ;
souffrez[4] seulement que je fasse venir mes armes. »
85 Il se fait apporter ses armes, se prépare et s'en retourne
avec Tristan le Nain. Ils vont donc guetter Estout l'Orgueilleux du Chastel Fier pour le tuer. Ils chevauchent en grande
hâte jusqu'à ce qu'ils trouvent son château fort. Ils mettent
pied à terre à la lisière[5] d'un fourré, et là attendent l'aven-
90 ture. Estout l'Orgueilleux était très fier ; pour chevaliers de

1. **Quérir** : chercher.
2. **Éperdu** : affolé.
3. **Rapt** : enlèvement.
4. **Souffrez** : permettez.
5. **À la lisière** : au bord.

sa suite, il avait ses six frères, hardis, braves et très vaillants, mais il les surpassait tous en valeur. Deux d'entre eux revenaient d'un tournoi ; les deux Tristan s'embusquent[1] dans le petit bois. A haute voix, ils leur lancent promptement un
95 défi ; ils frappèrent rudement sur eux, les deux frères y furent tués. La rumeur s'en propage dans le pays. Le seigneur entend l'appel ; les gens du château montent à cheval, ils assaillent les deux Tristan et les attaquent impétueusement. Ceux-ci étaient bons chevaliers et habiles à manier leurs armes. Ils se
100 défendent contre tous en chevaliers hardis et vaillants, et ils ne cessèrent le combat que lorsqu'ils eurent tué quatre des frères. Tristan le Nain fut abattu mort, et l'autre Tristan fut blessé, dans les reins, d'une lance empoisonnée. En sa colère, il prit une bonne vengeance, car il tua celui qui l'avait blessé.
105 Maintenant, les sept frères sont tués, l'un des Tristan mort, l'autre en mauvais point[2], car il a reçu une plaie profonde dans le corps. Il est revenu sur son chemin à grand-peine à cause de la douleur qui le tourmente ; il accomplit tant d'efforts qu'il arrive à sa demeure, il fait panser ses plaies, et
110 chercher un médecin pour le secourir. On en fait venir en grand nombre, aucun ne le peut guérir du venin, car ils ne se sont pas rendu compte que la plaie est empoisonnée, et pour cette raison, ils sont tous induits en erreur, ils n'arrivent pas à composer un emplâtre[3] qui puisse chasser ou extraire
115 le venin. Ils battent et broient des racines en grand nombre, cueillent des herbes et composent des médicaments, mais ils ne peuvent lui être d'aucun secours. L'état de Tristan ne cesse d'empirer. Le venin se répand dans tout le corps ; il le fait enfler dedans, dehors, il noircit et change de couleur, il perd
120 sa force. On voit déjà poindre les os ; il comprend bien qu'il va perdre la vie s'il ne reçoit un secours au plus tôt, et il voit que nul ne le peut guérir, et que pour cette raison il lui faut

---

1. **S'embusquent** : se cachent et guettent.
2. **En mauvais point** : en mauvaise posture.
3. **Emplâtre** : pansement.

Repères

• Quelles sont les occupations de Tristan et Kaherdin en Bretagne ?

Observation

• Quels sont les éléments qui ont poussé Tristan-le-Nain à venir demander de l'aide à l'autre Tristan ?

• La demande de Tristan l'Amoureux, qui veut remettre au lendemain l'aventure, est-elle déraisonnable ? Comment Tristan-le-Nain s'y prend-il pour lui faire comprendre qu'il ne peut supporter ce délai ? Croit-il vraiment que son interlocuteur n'est pas Tristan l'Amoureux ?

• Dans le discours de Tristan-le-Nain (l. 61-79), relevez les associations entre les termes « amour » et « douleur » d'une part, entre « mort » et « réconfort » d'autre part. Est-il habituel d'associer ces mots ?

• Thomas expédie en quelques mots les combats et la mort de Tristan-le-Nain. Pourquoi cette désinvolture ?

• Est-ce la première fois que Tristan est blessé d'une blessure empoisonnée ? Pourquoi espère-t-il tant dans les talents de guérisseuse d'Iseut ? Ce talent est-il donné comme magique ou comme une force née de l'amour ?

Interprétations

• Analysez les ressemblances entre la situation de Tristan-le-Nain et celle de Tristan l'Amoureux. Pourquoi Thomas a-t-il choisi de donner aux deux personnages le même prénom ?

De la lecture à l'écriture

Aux lignes 13-22, Thomas raconte l'arrivée de Tristan-le-Nain vue par Tristan et Gouvernal. Réécrivez ce passage du point de vue de Tristan-le-Nain, qui s'avance vers les deux chevaliers dont il ne connaît pas encore l'identité.

mourir. Nul ne connaît de remède à son mal ; cependant, si Iseut la reine savait ce puissant mal en lui, et qu'elle fût pré-
125 sente, elle saurait bien le guérir, mais il ne peut aller la rejoindre, ni souffrir les fatigues de la mer ; et, d'autre part, il redoute le pays, car il y a de nombreux ennemis ; Iseut, quant à elle, ne peut venir le rejoindre ; il ne sait comment il pourrait guérir. En son cœur, il éprouve une très grande dou-
130 leur, car le tourmentent la langueur[1], le mal, la puanteur de la plaie.

Tristan fait venir auprès de lui Kaherdin. Il demande à sa femme de sortir de la pièce mais celle-ci les épie et entend toute leur conversation. Kaherdin accepte d'aller prévenir Iseut-la-Blonde, seule capable de guérir la plaie de Tristan. Tristan lui confie l'anneau d'Iseut (pour qu'elle accepte de le suivre) et lui demande de revenir dans un délai de quarante jours. Pour que Tristan soit informé de la réussite ou de l'échec de sa mission dès que le bateau sera en vue, Kaherdin devra hisser une voile blanche s'il ramène la reine, ou noire si elle a refusé de le suivre. Kaherdin part immédiatement pour Londres et se présente à la cour de Marc sous le déguisement d'un marchand.

LA MISSION DE KAHERDIN

Il faut redouter la colère d'une femme, tout homme doit soigneusement s'en préserver, car là où elle aura le plus aimé, là elle en prendra le plus tôt vengeance. De même qu'un rien fait naître leur amour, un rien provoque leur haine. Et leur
5 inimitié, quand elle se produit, dure plus que n'a duré l'amitié. Elles savent mesurer leur amour, mais non pas modérer leur haine, tant qu'elles sont sous l'emprise[2] de la colère

---

1. **Langueur** : abattement, épuisement physique et moral.
2. **L'emprise** : la domination.

(mais je n'ose guère dire d'elles ce que je pense, car il ne m'appartient pas de le faire). Iseut[1] se trouvait contre la
10 paroi ; elle entend et écoute les paroles de Tristan, elle a bien saisi chaque mot : elle a eu la révélation de son amour. Elle éprouve au cœur une grande colère d'avoir tant aimé Tristan, alors qu'il s'est tourné vers une autre femme. Mais, maintenant, les circonstances lui apparaissent clairement, qui
15 lui font perdre la joie d'aimer Tristan. Elle retient bien tout ce qu'elle a entendu, et fait semblant de n'en rien savoir. Mais dès qu'elle en aura l'occasion, elle tirera une très cruelle vengeance de l'être qu'elle aime le plus au monde. Dès que les portes furent ouvertes, Iseut entra dans la chambre ; elle a
20 caché sa colère à Tristan, elle le sert et lui fait bon visage, comme une amie à son amant ; elle lui parle très doucement, et souvent l'embrasse et le prend par le cou, et lui donne les marques d'un très grand amour ; mais dans sa colère, elle réfléchit mauvaisement à la manière dont elle pourra se ven-
25 ger ; elle interroge souvent Tristan et s'enquiert[2] du jour où Kaherdin doit revenir, avec le médecin qui doit le guérir ; ce n'est pas d'un cœur sincère qu'elle le plaint : elle garde au fond du cœur la traîtrise qu'elle pense faire, si elle le peut, car la colère la pousse à agir ainsi.

30 Kaherdin fait route vers le nord, et navigue à pleines voiles, jusqu'à ce qu'il arrive au pays où il va chercher la reine. Voici l'embouchure[3] de la Tamise ; il remonte le fleuve avec ses marchandises, dans l'estuaire[4], hors de l'entrée, il a ancré son navire dans un port ; avec sa chaloupe[5] il remonte le
35 fleuve droit vers Londres, sous le pont ; là il déballe ses marchandises, il déplie et étale ses étoffes de soie.

Londres est une très riche cité, il n'en est pas de plus belle

1. **Iseut :** aux-Blanches-Mains.
2. **S'enquiert de :** se renseigne sur.
3. **Embouchure :** ouverture par laquelle un cours d'eau se jette dans la mer.
4. **Estuaire :** partie terminale d'un fleuve.
5. **Chaloupe :** barque, canot de sauvetage.

dans toute la chrétienté ; il n'en est aucune de plus de valeur ni de plus agréable, plus richement pourvue en hommes de
40 mérite ; ils aiment la prodigalité[1] et l'honneur, et mènent une existence fort plaisante ; c'est le point de convergence de toute l'Angleterre, il ne faut pas aller le chercher ailleurs. Au pied de ses murs court la Tamise ; c'est par là qu'affluent les marchandises de toutes les terres existantes où vont les mar-
45 chands chrétiens. L'industrie[2] des hommes y est grande. Le seigneur Kaherdin y est arrivé avec ses étoffes et ses oiseaux, dont il a de bons et de beaux. Il prend sur son poing un grand autour[3], une étoffe d'une étrange couleur, et une coupe richement ouvrée ; elle est ciselée et niellée[4]. Il en fait
50 présent au roi Marc, et lui dit courtoisement qu'il vient dans son royaume avec ses richesses pour en gagner et en acquérir d'autres. Que le roi lui accorde sa paix dans le royaume afin qu'il ne se retrouve pas prisonnier, et qu'il ne subisse ni dommage, ni honte de la part de chambellans[5] ou de vicomtes.
55 Le roi lui accorde une ferme paix, en présence de tous les gens du palais. Kaherdin va parler à la reine, car il veut lui montrer quelques-unes de ses richesses. Kaherdin va lui remettre dans la main un fermoir[6] d'or fin richement travaillé, je ne crois pas qu'au monde il en existe de plus beau :
60 il en fait présent à la reine. « L'or en est fort bon », lui dit-il ; Iseut n'en avait jamais vu de meilleure qualité ; il ôte de son doigt l'anneau de Tristan, le met tout à côté du fermoir, et dit : « Reine, voyez donc : cet or-ci est plus coloré que n'est l'or de cet anneau ; cependant, je considère celui-ci
65 comme très beau. » Lorsque la reine voit l'anneau, elle a vite fait de reconnaître Kaherdin. Son cœur est bouleversé et elle

---

1. **Prodigalité** : générosité, largesse.
2. **Industrie** : ingéniosité, invention, savoir-faire.
3. **Autour** : oiseau de proie très prisé (et très cher) au Moyen Âge, dressé à la chasse.
4. **Ciselée et niellée** : travaillée et incrustée d'émail noir.
5. **Chambellans** : serviteurs chargés du service de la chambre du roi.
6. **Fermoir** : bijou destiné à tenir fermé un vêtement.

change de couleur, et soupire sous le coup de sa grande douleur. Elle redoute les nouvelles qu'elle va entendre et tire à
part Kaherdin : elle lui demande s'il veut vendre l'anneau,
70 quel prix il en désire, et s'il a d'autres marchandises. Elle agit
ainsi par ruse, car elle veut tromper ses gardes.

Kaherdin est maintenant seul avec Iseut : « Dame, dit-il,
écoutez bien ce que je vais vous dire, et retenez-le : Tristan
vous adresse, en amant fidèle, amitié, service et salut, à vous
75 sa dame, son amie, en qui résident sa mort et sa vie. Il se
déclare votre homme lige et votre ami ; c'est par nécessité
qu'il m'a envoyé à vous. Il vous fait savoir qu'il n'aura
jamais, si ce n'est par vous, de secours contre la mort, non
plus que guérison ou santé, si vous ne les lui apportez. Il est
80 blessé à mort d'une lance qu'on avait trempée dans le venin.
Nous ne pouvons trouver de médecin qui sache traiter son
mal. Tant s'y sont déjà essayés que tout son corps est en
mauvais point. Il languit et vit dans la douleur, l'angoisse et
la puanteur. Il vous fait savoir qu'il ne survivra pas s'il ne
85 reçoit votre aide. C'est pour cela que par ma voix, il vous
demande de venir, et vous supplie, au nom de la foi et de la
loyauté que vous, Iseut, lui devez, que pour rien au monde
vous ne manquiez à venir le rejoindre maintenant, car jamais
il n'en eut plus grand besoin, et pour cette raison, vous ne
90 devez pas l'abandonner. Qu'il vous souvienne donc de vos
grandes amours, des peines et des tourments que vous avez
supportés tous deux ensemble ! Il perd sa vie et sa jeunesse ;
pour vous, il a souffert l'exil, il a été chassé plusieurs fois du
royaume ; il a perdu à cause de vous l'amitié du roi Marc.
95 Pensez aux souffrances qu'il en a éprouvées. Il vous faut vous
souvenir de la promesse que vous vous fîtes lors de votre
séparation, dans le jardin où vous avez échangé un baiser,
lorsque vous lui donnâtes cet anneau ; vous lui avez promis
alors votre amitié ; Dame, ayez pitié de lui ! Si vous ne lui
100 portez secours maintenant, certes, jamais vous ne pourrez le
retrouver vivant ; sans vous, il ne peut guérir ; c'est pour cela
qu'il vous faut venir, car il ne peut vivre autrement. Voilà ce

REPÈRES

• Sur quel objet repose la reconnaissance de Kaherdin par Iseut ?

OBSERVATION

• Le discours des l. 1-9 est-il favorable aux femmes ? Quel défaut Thomas leur reproche-t-il ? En quoi ces lignes sont-elles une introduction à la suite du récit ?

• La réaction d'Iseut-aux-Blanches-Mains : exprime-t-elle immédiatement sa colère ? Relevez les termes qui indiquent qu'elle attend une occasion favorable pour se venger.

• Quelles sont les précautions prises par Kaherdin à son arrivée en Angleterre (l. 30-36) ?

• Comment s'y prend-il pour attirer l'attention d'Iseut sans éveiller les soupçons des autres ? Montrez qu'ils utilisent un langage codé (l. 60-71).

• Le discours de Kaherdin à Iseut : a) Relevez les termes qui tendent à assimiler la relation entre Tristan et Iseut à celle qui existe entre un seigneur et son vassal (vous pouvez vous aider du **Lexique des termes de civilisation**). b) Montrez que ces termes visent à présenter l'aide d'Iseut à Tristan comme un devoir. c) À quels autres sentiments que celui du devoir fait-il appel dans la dernière partie de son discours (l. 90-105) ?

INTERPRÉTATIONS

• À l'aide des questions d'observation, dégagez les différents aspects de l'habileté de Kaherdin.

• Comment le revirement d'Iseut-aux-Blanches-Mains prépare-t-il le dénouement ?

DE LA LECTURE À L'ÉCRITURE

Thomas fait l'éloge de la ville de Londres. En vous inspirant de sa description (l. 37-45), faites en dix lignes l'éloge de la ville où vous vivez.

qu'il vous fait savoir, en ami loyal. En marque de reconnaissance il vous envoie cet anneau. Gardez-le, il vous en fait
105 don. »

LE VOYAGE D'ISEUT

Quand Iseut entend ce message, elle éprouve une grande
angoisse dans son cœur, et ressent peine, pitié et douleur,
telles que jamais elle n'en eut de plus grandes. Elle est plongée
dans ses pensées, soupire, et désire Tristan, son ami, mais elle
5 ne sait comment le rejoindre ; elle va en parler avec Brengain.
Elle lui conte toute l'aventure du venin de la blessure, la peine
et la douleur qu'a Tristan, comment il gît[1] plein de langueur,
comment et par qui il l'a fait prier de venir, sans quoi sa plaie
ne guérira jamais. Elle lui a montré toute son angoisse. Puis
10 elle lui demande conseil quant à ce qu'elle peut faire. Alors
commencent les soupirs, les plaintes et les pleurs, et la peine
et le grand chagrin, et la douleur et l'affliction, à l'entretien
qu'elles ont ensemble, à cause de la tristesse qu'elles éprouvent pour Tristan. Cependant, elles ont tant parlé qu'elles ont
15 pris la décision, au cours de l'entretien, de se préparer pour
le voyage et de partir avec Kaherdin pour chercher remède
au mal de Tristan, et lui venir en aide dans la grande nécessité
où il se trouve. Vers le soir, elles s'apprêtent et prennent ce
qu'elles jugent indispensable. Dès que tout le monde est
20 endormi, ils s'en vont dans la nuit, en cachette, avec beaucoup de précautions, à grands risques, par une poterne[2] du
mur qui domine la Tamise. Le flot[3] y arrivait à marée mon-
tante ; la voile déployée, ils se laissent emporter par le reflux ;
la barque poussée par le vent s'éloigne à vive allure. Ils se

---

1. **Il gît** (3ᵉ personne du singulier du verbe gésir) : il est couché.
2. **Poterne** : petite porte.
3. **Flot** : eau.

25 hâtent autant qu'ils le peuvent. Ils naviguent ainsi jusqu'à ce
qu'ils arrivent à la grande nef ; ils hissent la voile et puis
prennent la mer. Aussi vite que le vent peut les pousser, ils
courent la mer dans toute sa longueur, et côtoient la terre
étrangère en passant au large du port de Wissant[1], devant
30 Boulogne et Le Tréport. Le vent qui les pousse est fort et
soutenu, et la nef[2] qui les guide légère. Ils passent au large
de la Normandie. Ils font voile gais et joyeux, car ils ont bon
vent selon leur désir.

Tristan, éprouvé par sa blessure, gît en son lit, frappé d'une
35 grande langueur. Il n'est rien dont il puisse tirer soulagement.
Pas de remède qui lui soit de quelque secours ; tout ce qu'il
peut tenter ne lui est d'aucune aide, il désire la venue d'Iseut,
il n'éprouve d'attrait[3] pour rien d'autre ; sans elle, il ne peut
éprouver aucun bien. C'est pour elle qu'il a conservé la vie
40 si longtemps ; il languit, il l'attend dans son lit, il vit dans
l'espérance qu'elle viendra et qu'elle guérira son mal, et se
voit incapable de conserver la vie sans elle. Tout le jour, il
envoie ses serviteurs au rivage pour guetter le retour de la
nef ; aucun autre désir ne lui tient à cœur, et souvent, il s'y
45 fait porter lui-même et fait dresser son lit tout au bord de la
mer, pour attendre le navire et voir de quelle allure il navigue,
et quelle est sa voile. Il n'éprouve de désir pour rien, si ce
n'est seulement pour la venue d'Iseut. C'est là qu'est toute sa
pensée, son désir et sa volonté. Plus rien n'existe, si la reine
50 ne vient le rejoindre. Mais souvent, il se fait reconduire à sa
demeure à cause de la crainte qu'il éprouve qu'Iseut ne vienne
pas, et qu'elle ne soit pas fidèle à sa promesse ; et plutôt que
de voir lui-même le navire arriver sans Iseut, il préfère
apprendre d'un autre la nouvelle. Il désire scruter[4] lui-même
55 le navire, mais il ne veut pas connaître son échec. Son cœur

---

1. **Wissant** : port entre Boulogne et Calais.
2. **Nef** : navire.
3. **Attrait** : désir.
4. **Scruter** : regarder très attentivement.

est partagé entre l'angoisse et le désir de le voir. Souvent, il se plaint à sa femme, mais il ne lui exprime aucun de ses désirs, si ce n'est que Kaherdin tarde à revenir. Étant donné qu'il tarde tant, grande est sa crainte qu'il n'ait pu mener à
60 bien son entreprise.

Écoutez cette triste infortune, cette très douloureuse aventure, digne de la pitié de tous les amants ! Jamais vous n'avez entendu dire qu'un tel désir, un tel amour aient provoqué une plus grande douleur. Tandis que Tristan attend Iseut, que
65 la dame elle-même brûle d'arriver, et qu'elle est arrivée si près de la rive que la terre est en vue, alors que tous sont gais et font route joyeusement, voici qu'une bourrasque de vent venue du sud frappe la voile en plein par le devant et fait virer tout le navire. Les hommes courent au lof[1], changent
70 l'orientation de la voile ; contre tous leurs désirs, ils reviennent en arrière. La force du vent croît[2], le flot se soulève, la mer s'émeut[3] jusque dans ses profondeurs, le temps se trouble, l'air épaissit, les vagues se creusent, la mer noircit, pluie et grésil[4] s'abattent, la violence de la tempête augmente,
75 boulines[5] et haubans[6] se rompent. Les matelots abattent la voile et naviguent au hasard, louvoyant[7] au gré des flots et du vent. Ils avaient mis la chaloupe à la mer, car ils se voyaient près d'aborder dans leur pays ; par malheur, ils l'ont oubliée, une vague l'a mise en pièces. D'ailleurs, ils ont
80 maintenant subi de tels dégâts, la force de l'orage a crû[8] à tel point qu'il n'est pas de matelot, si expert soit-il, qui puisse tenir sur ses jambes. Tous pleurent, tous se lamentent ; sous l'étreinte de la peur, tous manifestent une grande douleur.

---

1. **Lof** : côté du navire frappé par le vent.
2. **Croît** (3e personne du singulier du verbe croître) : augmente.
3. **S'émeut** (3e personne du singulier du verbe s'émouvoir) : s'agite.
4. **Grésil** : grêle.
5. **Boulines** : cordages qui tiennent la voile.
6. **Haubans** : cordages qui tiennent le mât.
7. **Louvoyant** : naviguant en zigzag.
8. **Crû** (participe passé du verbe croître) : augmenté.

Iseut dit alors : « Hélas ! Malheureuse que je suis ! Dieu
85 ne veut pas que je vive assez pour revoir Tristan mon ami ;
il désire que je sois noyée en mer. Tristan, s'il m'avait été
possible de vous parler, peu m'aurait importé ensuite de mourir. Ami cher, quand vous aurez appris ma mort, je sais bien
que jamais plus vous ne trouverez le réconfort. De ma mort
90 vous éprouverez une telle douleur, jointe à la grande langueur
qui vous tient, que jamais plus vous ne pourrez guérir. Il ne
dépend pas de moi que je vienne ; si Dieu l'avait voulu, et si
j'étais arrivée, je me serais occupée de votre mal, car je
n'éprouve quant à moi nulle douleur, si ce n'est celle de vous
95 savoir dépourvu de tout secours. Voilà ma douleur et ma
peine, et j'ai au cœur le grand chagrin de savoir que vous
n'aurez, ami, puisque je meurs, aucun secours contre la mort.
Ma propre mort m'importe peu ; puisque Dieu le veut, je
l'accepte volontiers ; mais je sais bien, ami, que vous en
100 mourrez dès que vous apprendrez la nouvelle. Notre amour
est de telle sorte que je ne puis ressentir de douleur sans que
vous ne l'éprouviez vous-même ; vous ne pouvez mourir sans
moi, et je ne puis périr sans vous. Si je dois périr dans un
naufrage, il faut donc aussi que vous vous noyiez ; il n'est
105 pas possible de se noyer sur la terre ferme, vous êtes donc
venu me chercher en mer. Je vois votre mort devant moi, et
je sais bien que je dois bientôt mourir. Ami, mon désir ne
sera pas exaucé, car je croyais que je mourrais entre vos bras,
et que nous serions ensevelis[1] dans un même cercueil ; mais
110 maintenant nous ne pourrons plus accomplir notre désir.
Cependant, encore peut-il se réaliser ainsi : si je dois me noyer
ici, et que vous aussi, comme je le crois, devez vous noyer,
un unique poisson pourra nous avaler tous deux ; le hasard
nous donnera ainsi, bel ami, une sépulture[2] commune, car il
115 se peut qu'un homme, prenant le poisson, y reconnaisse nos
corps, et qu'il nous rende ensuite de grands honneurs, ainsi

---

1. **Ensevelis** : enterrés.
2. **Sépulture** : tombe.

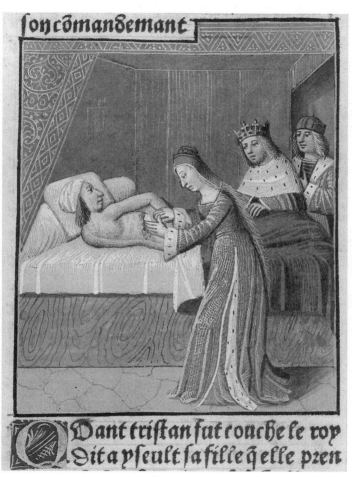

Iseut soigne et guérit Tristan, Manuscrit du XVe siècle, B.N.F.

qu'il convient à notre amour. Mais tout ce que je dis est impossible. – Eh ! si Dieu le veut, il faudra bien que cela soit. – En mer, ami, que chercheriez-vous ? Je ne sais ce que
120 vous pourriez y faire. Mais moi, j'y suis, et c'est là que je mourrai. Je m'y noierai sans vous, Tristan, et ce m'est, beau doux ami, une tendre consolation de savoir que vous ne connaîtrez pas ma mort. Ailleurs qu'ici, on n'en entendra jamais parler ; je ne sais, ami, qui pourrait vous la dire. Après
125 moi vous vivrez longuement, et vous attendrez ma venue. S'il plaît à Dieu, vous pourrez guérir, c'est mon souhait le plus cher. Le souci de votre santé me tient au cœur plus que le désir d'arriver ; car j'éprouve pour vous un amour si délicat[1], ami, que je dois avoir peur qu'après ma mort, si vous gué-
130 rissez, en votre vie vous m'oubliiez, et que vous, Tristan, ne trouviez consolation auprès d'une autre femme, après ma mort. Ami, certes je crains Iseut aux Blanches Mains, et je redoute au moins elle. Je ne sais si je dois la redouter ; mais si vous étiez mort avant moi, après vous je ne vivrais que
135 bien peu de temps. Certes, je ne sais ce que je dois faire, mais je vous désire plus que tout au monde. Dieu nous permette de nous réunir afin que je puisse, ami, vous guérir, ou que nous puissions mourir tous deux d'une même angoisse ! »

Tant que dure la tourmente[2], Iseut se plaint et se lamente ;
140 plus de cinq jours, ils souffrent en mer l'orage et le mauvais temps, puis le vent tombe, et le beau temps revient. Ils ont hissé la voile blanche et fendent les flots à vive allure, si bien que Kaherdin aperçoit la terre de Bretagne. Tous sont alors joyeux, pleins de gaieté et d'entrain, et ils tendent la voile
145 bien haut, afin que l'on puisse apercevoir de loin quelle est sa couleur, blanche ou noire ; ils veulent de loin en montrer la couleur, car on se trouvait au dernier jour du terme que Tristan avait fixé pour leur retour d'Angleterre. Tandis qu'ils

---

1. **Un amour si délicat** : attentionné, parfait (traduction de l'expression « fine amor »).
2. **Tourmente** : tempête.

REPÈRES

• Rappelez les événements qui ont poussé Tristan à envoyer chercher Iseut.

OBSERVATION

• L'attente de Tristan en Petite Bretagne (l.34-60) : comptez les lignes qui sont consacrées à la douleur physique de Tristan et celles qui décrivent une douleur morale. De quoi souffre surtout Tristan ? Cherchez dans le dictionnaire le sens du mot « langueur » et montrez qu'il peut s'appliquer aux deux types de souffrance.
• Quels obstacles s'opposent à la réunion des amants ? À qui Iseut attribue-t-elle la responsabilité de ces obstacles ?
• Dégagez le plan du monologue d'Iseut (l. 86-139) en montrant qu'elle envisage successivement différentes réactions de Tristan à l'annonce de sa mort. Laquelle Iseut retient-elle à la fin de son monologue ?
• Relevez toutes les phrases où l'amour et le désir sont donnés comme source de douleur. Dans les phrases relevées, entourez les termes qui expriment la cause.

INTERPRÉTATIONS

• Montrez que les amants n'envisagent que deux solutions : être réunis ou mourir.
• À votre avis, quelle solution va l'emporter ? Justifiez votre réponse à l'aide d'éléments du texte.

DE LA LECTURE À L'ÉCRITURE

Imaginez sous forme de monologue les plaintes et les inquiétudes de Tristan qui ne voit pas venir son amie. Vous pouvez utiliser les éléments suivants : Iseut a refusé de venir parce qu'elle ne l'aime plus, Marc l'a empêchée de partir, Iseut est peut-être morte en mer, etc.

cinglent[1] joyeusement, la chaleur se lève et le vent tombe, de
150 telle sorte qu'ils ne peuvent plus avancer. La mer est étale[2]
et unie. Leur nef[3] ne va ni d'un côté ni de l'autre, si ce n'est
où le flot l'entraîne, et ils n'ont plus leur chaloupe. Grande
est maintenant leur angoisse. Devant eux, tout près, ils voient
la terre, et ils n'ont pas de vent pour l'atteindre. Ils vont donc
155 louvoyant, vers le large, vers la côte ; tantôt en avant, tantôt
en arrière. Ils ne peuvent poursuivre leur course, c'est une
grande infortune qui les frappe. Iseut est plongée dans un
grand tourment : elle voit la terre qu'elle a tant souhaitée, et
elle ne peut y aborder ; peu s'en faut qu'elle ne meure de son
160 désir. Tous sur la nef désirent la terre, mais trop faible est le
vent. Bien des fois Iseut se plaint de son malheur.

LA MORT DES AMANTS

Sur la rive aussi on désire la nef, mais on ne la voit toujours
pas arriver. Tristan est affligé et las de cette attente. Souvent
il se plaint, souvent il soupire pour Iseut qu'il désire si fort ;
il verse des larmes, il se tord de désespoir. Peu s'en faut qu'il
5 ne meure de désir. En cette angoisse, en ce tourment, Iseut,
sa femme, se présente devant lui. Elle a médité une grande
perfidie[4], et lui dit : « Ami, voici qu'arrive Kaherdin. J'ai
aperçu sa nef sur la mer, je l'ai vue qui cinglait à grand-
peine ; cependant, je l'ai assez bien vue pour reconnaître que
10 c'est la sienne. Plaise à Dieu qu'il apporte une nouvelle qui
puisse vous réconforter le cœur ! » Tristan tressaille à cette
nouvelle, il demande à Iseut : « Belle amie, êtes-vous sûre que
c'est sa nef ? Dites-moi donc quelle est sa voile. » Iseut
répond : « J'en suis bien sûre. Sachez que la voile est toute

---

1. **Ils cinglent** : ils naviguent.
2. **Étale** : calme.
3. **Nef** : navire.
4. **Perfidie** : traîtrise, déloyauté.

15 noire. Ils l'ont hissée et tendue bien haut, car le vent leur fait
défaut. » Alors Tristan éprouve une douleur telle qu'il n'en
connut ni n'en connaîtra jamais de plus vive ; il se tourne
vers la paroi et dit : « Que Dieu nous sauve, Iseut et moi !
Puisque vous ne voulez venir à moi, il me faut donc mourir
20 de l'amour que je vous porte. Je ne puis plus retenir la vie
en moi ; c'est pour vous que je meurs, Iseut, belle amie. Vous
n'avez point pitié de ma langueur, mais vous éprouverez douleur de ma mort. Ce m'est, amie, une grande consolation de
savoir que vous aurez pitié de ma mort. » Il a répété trois
25 fois : « Amie Iseut. » A la quatrième fois, il rend l'esprit.

Alors pleurent par toute la maison ses chevaliers, ses
compagnons. Hauts sont les gémissements, grande est la
plainte. Chevaliers et sergents accourent, et portent le corps
hors du lit, puis ils le couchent sur un samit[1], ils le couvrent
30 d'un drap de soie rayé. Sur la mer, le vent s'est levé et frappe
en plein au creux de la voile, il pousse le navire au rivage.
Iseut est sortie de la nef, elle entend les grandes plaintes dans
la rue, les cloches des églises et des chapelles ; elle demande
aux passants les nouvelles : pourquoi ces sonneries de
35 cloches, et quelle est la cause de tant de pleurs. Un vieil
homme alors lui répond : « Belle dame, que Dieu me protège ! nous éprouvons une douleur telle que jamais personne
n'en ressentit de plus forte. Tristan, le vaillant, le noble est
mort : il était l'appui de tous les habitants du royaume. Il
40 était généreux envers les hommes dans le besoin, et portait
grand secours aux êtres plongés dans la douleur. Il vient de
mourir à l'instant dans son lit d'une plaie qu'il avait reçue
dans le corps. Jamais plus grand malheur n'advint dans ce
royaume. »
45 Dès qu'Iseut entend la nouvelle, de douleur elle ne peut
sonner mot. La mort de Tristan la fait tant souffrir, qu'elle
avance par la rue, le manteau dégrafé, et entre devant tous

---

1. **Samit** : drap de soie.

les autres au palais. Jamais encore les Bretons n'ont vu une femme d'une telle beauté : par la ville, on se demande avec
50 étonnement d'où elle vient, et qui elle peut être. Iseut s'avance jusque devant le corps ; elle se tourne alors vers l'orient, et, pour lui prie, avec pitié : « Ami Tristan, puisque vous êtes mort, il est juste que je ne doive pas vivre davantage. Vous êtes mort par amour pour moi, et je meurs, ami, de tendresse
55 pour vous, pour n'avoir pu arriver à temps afin de vous guérir et de vous débarrasser de votre mal. Ami, ami, à cause de votre mort, rien ne pourra jamais m'apporter consolation, ni joie, ni bonheur, ni plaisir. Maudit soit cet orage qui me fit, ami, demeurer si longtemps en mer que je ne pus arriver
60 jusqu'à vous. Si j'étais venue à temps, je vous aurais rendu la vie, et parlé doucement de l'amour qui nous a unis ; j'aurais plaint notre aventure, notre joie, nos plaisirs, et les peines et la grande douleur qui ont marqué profondément notre amour ; je vous aurais rappelé tout cela en vous baisant
65 et en vous prenant dans mes bras. Si je n'ai pu vous guérir, puissions-nous donc mourir ensemble ! Puisque je n'ai pu arriver à temps, puisque je n'ai su prévenir votre sort, et que la mort m'a devancée, je trouverai la consolation dans le même breuvage. Pour moi vous avez perdu la vie, et j'agirai
70 en véritable amie : pareillement je veux mourir pour vous. » Elle le prend dans ses bras et s'étend à son côté, elle lui baise la bouche et le visage, et le tient étroitement enlacé, corps contre corps, bouche contre bouche ; elle rend alors l'esprit et meurt ainsi, auprès de lui, pour la douleur d'avoir perdu
75 son ami. Tristan mourut à cause de son désir, Iseut parce qu'elle ne put arriver à temps ; Tristan mourut par amour, et la belle Iseut par tendresse.

Thomas achève ici son conte. Il envoie son salut à tous les amants, aux pensifs et aux amoureux, à ceux qui convoitent,
80 à ceux qui désirent, à ceux qui aiment le plaisir et à ceux qui s'obstinent dans la recherche de la volupté, à tous ceux qui entendront ces vers. Si le désir de tous n'est pas également satisfait, du moins ai-je conté du mieux que je pouvais, et j'ai

La mort des amants, deuxième moité du XVᵉ siècle, Musée Condé, Chantilly.

dit toute la vérité, ainsi que je l'avais promis au commence-
85 ment. J'ai orné le conte de la grâce[1] des vers ; j'ai agi ainsi
pour donner une valeur exemplaire à l'histoire et pour
l'embellir, afin qu'elle puisse plaire aux amants, et qu'en certains passages, ils trouvent matière à se souvenir de leur
propre amour. Puissent-ils y trouver un grand réconfort
90 contre l'inconstance, contre le tort, contre la peine, contre les
pleurs, contre toutes les tromperies de l'amour !

1. **Grâce** : beauté.

REPÈRES

• Dans l'extrait précédent (Le Voyage d'Iseut), citez le passage qui explique que Tristan n'aille pas lui-même regarder la couleur de la voile.

OBSERVATION

• Quel personnage est directement responsable de la mort de Tristan ? En quoi peut-on dire que ce personnage représente les règles de la société que Tristan et Iseut ont bafouées ?

• Pourquoi Tristan n'a-t-il plus la volonté de vivre ? Se plaint-il de sa blessure ? À quoi Iseut attribue-t-elle sa mort ?

• Dans le monologue d'Iseut, relevez les éléments qui répondent aux dernières paroles de Tristan.

• Relevez les phrases qui établissent une comparaison entre les actions de Tristan et celles d'Iseut. Quels sont les autres signes de cette volonté d'union dans la mort (l. 71-77) ?

• Montrez que le roman aurait pu s'arrêter à la ligne 77. À quoi servent les dernières lignes ?

INTERPRÉTATIONS

• Montrez que cette fin est à la fois tragique et apaisante.

DE LA LECTURE À L'ÉCRITURE

Dans un dictionnaire de la mythologie gréco-latine, cherchez l'histoire de Thésée. Résumez en quelques lignes le passage où une erreur sur la couleur des voiles d'un navire a des conséquences tragiques.

Thomas analyste

Tout au long de son roman, Thomas donne la priorité à l'analyse des sentiments du quatuor amoureux dont il dépeint les souffrances plutôt qu'au récit des faits et des actions. Ainsi, lors du voyage d'Iseut, il consacre beaucoup plus de temps au monologue de la jeune femme, qui se désole de mourir loin de Tristan, qu'au récit de la tempête.

De longs monologues, construits sur l'alternance parfois très rapide de pensées contradictoires, traduisent le déchirement intérieur des personnages. Si Iseut garde, tout au long du roman, une foi relativement constante en son amant, ce n'est pas le cas de Tristan, qui semble prendre plaisir à se torturer. Le monologue qui précède son mariage nous le montre partagé entre la haine et l'amour, la confiance et la jalousie, l'amour et le désir. Il se décide à épouser Iseut-aux-Blanches-Mains et fait ainsi entrer la jeune fille dans le cercle des amants malheureux. Tous les nouveaux personnages introduits par Thomas, qu'il s'agisse de Cariado ou de Tristan-le-Nain, contribuent en effet à compléter cette peinture des tourments amoureux.

Thomas moraliste

Thomas complète cette galerie de portraits par des réflexions morales plus générales (par exemple : les considérations sur les ravages de l'envie avant la visite de Cariado à Iseut). Elles sont destinées à faire prendre conscience au lecteur de la portée didactique de son roman. L'épilogue le dit clairement : Thomas n'a pas seulement pour but de raconter une belle histoire qui plaise et fasse rêver. Les lecteurs qui sont ou ont été amoureux doivent y trouver, sinon un enseignement et un avertissement, du moins une source de réconfort, en voyant que les souffrances sont le lot commun des amants.

MARIE DE FRANCE

LES RÉCITS BREFS

Les romans de Béroul et Thomas racontent la vie de Tristan depuis sa naissance jusqu'à sa mort. À côté de ces romans, se développent à la fin du XIIᵉ siècle des récits brefs qui choisissent de se concentrer sur une seule aventure de Tristan. Dans le Lai du Chèvrefeuille *de Marie de France, et la* Folie d'Oxford *dont l'auteur est anonyme, la situation de base est la même : Tristan a été exilé par Marc après avoir été surpris avec la reine. Mais il ne peut supporter cette séparation et décide de revenir en Cornouailles. Il invente un stratagème pour revoir sa bien-aimée à l'insu du roi.*

LE LAI DU CHÈVREFEUILLE

Il me plaît beaucoup – et je le fais bien volontiers – de vous conter l'histoire véritable du lai que l'on nomme Chèvrefeuille, et pourquoi il fut fait, et par qui. Plusieurs m'ont conté et dit – et j'en ai trouvé le récit écrit – de Tristan et de la
5 reine, de leur amour qui fut si parfait, dont ils eurent mainte douleur ; puis ils en moururent le même jour.

Le roi Marc était courroucé[1], plein de colère contre Tristan, son neveu ; il l'exila de sa terre à cause de l'amour que Tristan portait à la reine. Celui-ci s'en est allé dans son pays,
10 en Galles[2], où il était né. Il y demeura un an tout entier, sans pouvoir revenir ; mais au bout de ce temps, il courut grand

---

1. **Courroucé :** en colère.
2. **Galles :** voir la carte.

danger de mort et de destruction. Que cela ne vous étonne pas, car celui qui aime très loyalement est plein de tristesse et de souci quand il ne peut accomplir ses volontés. Tristan est
15 affligé et préoccupé ; c'est pour cette raison qu'il quitte son pays. Il va tout droit en Cornouaille, là où demeurait la reine.

Il se dissimula tout seul dans la forêt, il ne voulait pas que qui que ce soit le vît ; il en sortait le soir, quand il était temps de trouver un gîte[1]. La nuit, il était hébergé par des paysans,
20 par de pauvres gens. Auprès d'eux, il s'enquérait[2] de ce que faisait le roi. Ils lui déclarent qu'ils ont entendu dire que les barons sont convoqués à une assemblée[3] ; ils doivent venir à Tintagel[4], le roi veut y tenir sa cour ; à la Pentecôte[5], ils y seront tous ; il y aura abondance de réjouissances et de
25 divertissements, et la reine sera présente.

Tristan entendit cela, il en éprouva une grande joie. Iseut ne pourra gagner Tintagel sans qu'il la voie passer devant lui. Le jour où le roi s'est mis en route, Tristan est venu dans le bois, sur le chemin par où il savait que devait passer le cor-
30 tège[6]. Il coupa une branche de coudrier[7] par le milieu, il la fend et l'équarrit[8]. Quand il a paré[9] la branche, il y écrit son nom de son couteau. Si la reine s'en rend compte (car elle y était très attentive : il lui était arrivé précédemment de se rendre compte ainsi de la présence de Tristan), elle recon-
35 naîtra bien le bâton de son ami quand elle le verra.

Voici la teneur[10] de l'écrit qu'il lui avait envoyé ; il dit : qu'il était resté là longtemps, qu'il y avait attendu et séjourné pour épier et pour savoir comment il pourrait la voir, car il

---

1. **Gîte** : lieu où dormir.
2. **S'enquérait de** : se renseignait sur.
3. **Assemblée** : réunion solennelle.
4. **Tintagel** : ville de Cornouailles (voir carte p. 168).
5. **Pentecôte** : fête religieuse célébrée 50 jours après Pâques.
6. **Cortège** : escorte, suite.
7. **Coudrier** : noisetier.
8. **Il l'équarrit** : il la dégrossit, enlève les aspérités pour la rendre lisse.
9. **Paré** : préparé.
10. **La teneur** : le contenu.

lui était impossible de vivre sans elle ; il en était d'eux deux
40 tout ainsi que du chèvrefeuille[1] qui se prenait[2] au coudrier :
quand il s'y est attaché et pris, et qu'il s'est mis tout autour
du tronc, ils peuvent bien durer ensemble ; mais si ensuite on
veut les séparer, le coudrier meurt en peu de temps, et le
chèvrefeuille fait de même. « Belle amie, ainsi en est-il de
45 nous : ni vous sans moi, ni moi sans vous. »

La reine va chevauchant ; elle regardait un peu devant elle,
elle vit le bâton et se rendit bien compte de sa signification,
elle sut en déchiffrer toutes les lettres. Aux chevaliers qui la
conduisaient, qui faisaient route avec elle, elle commanda à
50 tous de s'arrêter : elle veut descendre de cheval et se reposer.
Ils ont obéi à son ordre. Elle s'éloigne de son escorte et appelle à
elle sa demoiselle, Brengain, qui était digne d'une entière confiance.

55 Elle s'éloigna un peu du chemin ; dans le bois, elle trouva
celui qui l'aimait plus que qui que ce soit au monde. Ils manifestent tous deux une très grande joie. Il lui parla tout à loisir[3], et elle lui dit tout ce dont elle avait envie ; puis elle lui
explique de quelle manière il pourra se réconcilier avec le roi ;
60 celui-ci avait été très affligé d'avoir ainsi exilé Tristan ; c'est
à cause des accusations portées contre eux qu'il l'avait fait.
À ce moment, Iseut s'en va, elle quitte son ami ; mais quand
arrive l'instant de la séparation, alors ils commencent à pleurer. Tristan s'en retourna au pays de Galles, jusqu'à ce que
65 son oncle le fît demander.

À cause de la joie qu'il avait éprouvée de voir son amie, et
comme il avait écrit toutes les paroles de la reine ainsi qu'elle
les avait prononcées, afin de s'en souvenir, Tristan, qui savait
bien jouer de la harpe, en avait fait un nouveau lai ; je le
70 nommerai très brièvement : on l'appelle *Gotelef* en anglais,
les Français le nomment *Chèvrefeuille*. Je vous ai dit l'histoire
véridique du lai que je viens de vous conter ici.

---

1. **Chèvrefeuille** : plante grimpante dont les fleurs ont une odeur agréable.
2. **Se prenait au** : s'enroulait autour.
3. **À loisir** : à son aise.

Repères

• Comment peut-on situer cet épisode par rapport à l'ensemble de l'histoire de Tristan et Iseut ? Est-il possible de le faire avec précision ?

Observation

• Quels sont les deux endroits où la narratrice s'adresse longuement au lecteur ? Relevez les marques énonciatives de ce dialogue.

• À partir du relevé des verbes d'action l. 15-36 et 47-65, montrez que le texte est le récit des retrouvailles de Tristan et Iseut.

• Le texte a-t-il uniquement pour sujet cette rencontre ? Justifiez votre réponse à l'aide du titre, des déclarations de Marie, et du relevé de tous les verbes qui désignent l'écriture ou la composition d'un lai.

• Quelle image concrète Tristan utilise-t-il dans son message à Iseut pour justifier sa venue et qualifier leur amour ?

• Comment la phrase « Belle amie, ainsi en est-il de nous : ni vous sans moi, ni moi sans vous » est-elle mise en valeur par rapport au reste du message de Tristan ?

Interprétations

• Quelles sont les raisons qui ont poussé Tristan à écrire son lai ?

De la lecture à l'écriture

En vous inspirant des éléments de réponse à la question d'**Interprétations**, imaginez ce que Marie de France pourrait dire au lecteur pour expliquer les raisons qui l'ont poussée à écrire le *Lai du Chèvrefeuille*.

La « Folie Tristan » d'Oxford

L'ARRIVÉE DE TRISTAN À LA COUR

Tristan possédait des ciseaux qu'il avait l'habitude de porter toujours sur lui. Il les aimait beaucoup : c'est Iseut elle-même qui les lui avait donnés. De ses ciseaux, il se tondit le sommet de la tête : il a bien l'allure d'un fou ou d'un sot.
5 Ensuite, il se tondit en croix. Tristan savait bien changer sa voix. À l'aide d'une herbe qu'il avait apportée de son pays, il se teint le visage. Quand il eut oint[1] son visage de cette liqueur, son teint noircit, il changea de couleur. Aucun homme au monde n'aurait pu le reconnaître pour Tristan, ni
10 n'aurait pu croire que c'était lui, quelque attention qu'il mette à l'examiner ou à l'écouter. Il s'est taillé un bâton dans une haie, et il le porte suspendue au cou. Il se dirige tout droit vers le château. Quiconque le voit en prend peur.

Le portier, quand il l'a vu, l'a tout de suite jugé très fou.
15 Il lui a dit : « Avancez donc ! Où êtes-vous demeuré si long-temps ? » Le fou répond : « Je reviens des noces de l'abbé[2] du Mont[3], que j'ai bien connu. Il a épousé une abbesse, une grosse dame voilée. Il n'est pas de prêtre, d'abbé, de moine, ni de clerc ordonné[4], de Besançon jusqu'au Mont, à quelque
20 ordre qu'il appartienne, qui ne sera invité aux noces, et tous y portent bâtons et crosses[5]. Sur la lande, sous Bel

---

1. **Oint** : enduit.
2. **Abbé** : supérieur d'un monastère (une abbaye) d'hommes.
3. **Mont** : le mont Saint-Michel, en Normandie.
4. **Clerc ordonné** : toute personne qui a reçu la tonsure et est entrée dans l'état ecclésiastique, sans être forcément prêtre ou moine.
5. **Crosse** : bâton recourbé, signe du pouvoir de l'évêque.

Encombre[1], c'est là qu'ils sautent et jouent dans l'ombre. Je les ai quittés parce que je dois aujourd'hui servir le roi à dîner ! »

25 Le portier lui a répondu : « Entrez, fils d'Urgan le Velu[2] ; vous êtes fort velu et gras ; vous ressemblez bien à Urgan en cela. » Le fou entre par le guichet[3]. Tous les valets courent à sa rencontre, et le huent comme l'on fait pour un loup : « Voyez le fou ! hou ! hou ! hou ! hou ! » Les valets et les

30 écuyers se mettent à lui jeter des pierres et des morceaux de bois. Les sots de valets qui le suivent lui font escorte[4] à travers la cour. Il se retourne très souvent contre eux ; voici qu'il saute avec ardeur ; si on l'assaille[5] vers la droite, il se retourne et frappe vers la gauche. Il s'approcha de la porte

35 de la grande salle, et y entra, le bâton au cou.

Le roi, qui siégeait à la table d'honneur, se rendit compte sur-le-champ de la situation : « Je vois là un bon gaillard ; faites-le donc avancer vers moi ! » Plusieurs s'élancent à sa rencontre ; ils le saluent en imitant sa manière, puis ils entraî-

40 nent le fou devant le roi, le bâton au cou. Marc lui dit : « Soyez le bienvenu, ami ! D'où êtes-vous ? Que venez-vous chercher ici ? » Le fou répond : « Je vais vous dire d'où je suis, et ce que je suis venu chercher ici. Ma mère fut une baleine. Elle hanta les mers comme une sirène. Mais je ne sais

45 où je suis né. Je sais fort bien qui m'a nourri : une grande tigresse m'allaita sous un rocher, où elle m'avait trouvé. Elle me trouva sous une grosse pierre, crut que j'étais son petit, et me nourrit de sa mamelle. Mais j'ai une sœur très belle : je vous la donnerai, si vous le voulez, en échange d'Iseut, que

50 vous aimez tant. » Le roi se met à rire, puis répond : « Que dit la merveille du monde ? – Roi, je vous donnerai ma sœur

---

1. **Bel Encombre :** nom de lieu.
2. **Urgan le Velu :** nom d'un géant que tua Tristan.
3. **Guichet :** petite ouverture pratiquée dans une porte.
4. **Lui font escorte :** l'accompagnent.
5. **L'assaille :** l'attaque.

REPÈRES

• Comparez l'objectif de Tristan avec celui qui était le sien dans le *Lai du Chèvrefeuille*.

OBSERVATION

• Le fou est-il bien accueilli ? Pourquoi arrive-t-il aussi facilement jusqu'au roi ? Analysez les réactions des différents personnages et montrez que la folie de Tristan a un aspect divertissant qui l'apparente à un bouffon.

• Les propos de Tristan au portier sur les noces de l'abbé représentent une attaque comique contre le clergé. Pensez-vous que cette attaque ait été possible sur le mode sérieux ? Pourquoi Tristan peut-il se permettre de tels discours ?

• Dans son dialogue avec Marc, montrez comment Tristan mêle : a) des propos fantaisistes destinés à faire croire à sa folie ; b) des paroles vraies qui font allusion à son amour pour Iseut. À qui ces dernières paroles sont-elles destinées ?

• Dans la description que fait Tristan du palais où il voudrait emmener Iseut, relevez tous les termes qui se rapportent au lexique de la lumière et de la transparence. Quels sont les autres éléments qui font de ce palais un lieu idéal ?

INTERPRÉTATION

• Montrez que seul le masque de fou permet à Tristan de dire la vérité. Quel est le risque pour la suite de l'histoire ?

• Cherchez des expressions du langage courant qui associent amour et folie, amour et maladie. En quoi pourrait-on dire que Tristan est vraiment fou ?

DE LA LECTURE À L'ÉCRITURE

Le comique, aujourd'hui encore, permet de dire à des personnages importants ce qu'on ne pourrait pas leur dire sérieusement. Racontez à vos camarades une émission de télévision, un film, ou décrivez-leur un dessin humoristique, qui utilise ce moyen.

en échange d'Iseut, que j'aime d'amour. Concluons le marché, faisons l'échange ; c'est une chose bien étrange qui vaut la peine d'être tentée. Vous êtes tout ennuyé d'Iseut :
55 attachez-vous à une autre, et donnez-moi Iseut ; je la prendrai et je vous servirai, roi, avec affection. »

Le roi l'entend et se met à rire ; il dit au fou : « Dieu puisse-t-il t'aider ! Si je te permettais de prendre la reine, et que je la mette en ta possession, dis-moi donc ce que tu en ferais,
60 et en quel lieu tu la conduirais. – Roi, fait le fol, là-haut en l'air, j'ai une grande salle où je demeure ; elle est faite de verre, belle et grande ; au beau milieu, le soleil y darde[1] ses rayons. Elle est suspendue en l'air, et pend dans les nues[2] ; quel que soit le vent, elle ne chancelle ni ne se balance. À
65 côté de la salle se trouve une chambre faite de cristal et richement lambrissée[3]. Quand le soleil se lèvera demain, il y répandra une grande clarté. » Le roi et les autres se mettent à rire. Ils parlent entre eux et se disent : « Voici un fort bon fou. C'est un bon diseur de balivernes[4], il parle mieux que
70 quiconque. – Roi, dit le fou, je porte un grand amour à Iseut. Pour elle, mon cœur se plaint et souffre. Je suis Tantris[5], qui tant l'aimait, et je l'aimerai aussi longtemps que je vivrai. »

LA RECONNAISSANCE

Iseut, très en colère, refuse de croire le fou. Tristan, pour tenter de la convaincre, rappelle alors de nombreux épisodes de leur histoire commune, dont certains sont connus d'eux

---

1. **Darde** : envoie.
2. **Nues** : nuages (registre poétique).
3. **Lambrissée** : décorée avec des panneaux de bois.
4. **Balivernes** : sornettes.
5. **Tantris** : anagramme adoptée par Tristan afin de ne pas être reconnu, connue par Iseut puisqu'il l'avait déjà utilisée en Irlande après son combat contre le Morholt.

*seuls : le combat contre le Morholt et le dragon, le philtre
bu par erreur... Pour ne pas être soupçonné, il continue en
même temps à jouer son rôle de fou, chassant les convives
qui n'ont que trop mangé et évoquant des chasses où l'on
prend les cygnes avec des chiens... Iseut se réfugie dans sa
chambre où elle confie à Brengain son inquiétude face à
l'acharnement de ce fou qui connaît tous ses secrets. Brengain, elle, pense que l'homme est bien Tristan. Elle l'introduit dans la chambre de la reine où, par de nouveaux
détails, il continue son entreprise de persuasion.*

« Iseut, vous devez bien vous souvenir dans quelles circonstances je vous ai donné Husdent, mon chien. Qu'en avez-
vous fait ? Montrez-le-moi ! » Iseut répond : « Je l'ai, par ma
foi ! Je possède le chien dont vous parlez. Certes, vous allez
5 le voir tout de suite. Brengain, allez chercher le chien ! »
Celle-ci l'a amené par la laisse. Iseut se lève et s'élance : elle
vient à Husdent, le caresse et le délie, elle le laisse aller. Le
chien joint les pattes et s'en va. Tristan lui dit : « Viens ici,
Husdent ! Tu as été mien autrefois, je te reprends
10 maintenant. » Husdent le vit, il reconnut son maître aussitôt.
Comme il est naturel, il montra une grande joie. Jamais je
n'ai entendu dire qu'un chien ait pu manifester une joie plus
vive que ne fit alors Husdent pour son maître, tant il fit
preuve d'une grande affection. Il court à lui, lève la tête,
15 jamais animal ne fit si grande fête ; il le pousse du museau,
gratte de la patte : on pouvait bien être pris de pitié à sa vue.
Iseut jugea cette attitude extraordinaire. Elle se trouva
toute honteuse, son visage s'empourpra[1], de voir ainsi le
chien faire fête à cet homme aussitôt qu'il avait entendu sa
20 voix. Car il était méchant et sournois, il mordait et savait
faire mal à tous ceux qui voulaient jouer avec lui et à tous
ceux qui le touchaient. Nul ne pouvait gagner son amitié et

---

1. **S'empourpra** : rougit.

nul ne pouvait le toucher si ce n'est la reine et Brengain, tant il montrait de méchanceté, depuis qu'il avait perdu le maître
25 qui l'avait dressé et élevé.

Tristan tient Husdent et le caresse. Il dit à Iseut : « Il se souvient mieux de moi, qui l'ai élevé et dressé, que vous ne le faites, vous que j'ai tant aimée. Autant un chien possède une grande loyauté, autant il y a de fausseté en une femme. »
30 Iseut entend Tristan, et change de couleur ; d'angoisse elle frémit, et la sueur lui monte au front. Tristan lui dit : « Dame la reine, comme vous étiez jadis loyale ! Rappelez-vous comme au verger[1], alors que nous étions étendus ensemble, le roi survint et nous découvrit ; il revint aussitôt sur ses pas,
35 et imagina une grande traîtrise : il voulut nous tuer par envie. Mais Dieu ne le voulut point, grâces lui en soient rendues[2], car je me rendis compte aussitôt de la présence de Marc. Belle, il nous fallut alors nous séparer, car le roi voulait nous couvrir de honte. C'est alors que vous me donnâtes votre
40 anneau d'or pur, dont le travail est fin et beau ; je le reçus et je m'en allai, en vous recommandant au vrai Dieu du ciel. »

Iseut dit : « Je me fie[3] aux marques de reconnaissance. Avez-vous l'anneau ? Montrez-le moi ! » Il retire l'anneau de son doigt et le lui donne. Iseut le prend et le regarde, puis
45 elle fond en larmes, elle se tord les mains ; elle pensa perdre la raison. « Hélas !, dit-elle, quel fut mon malheur de naître ! La fin de tout cela est que j'ai perdu mon ami, car je sais bien que s'il était vivant, aucun homme n'aurait eu entre les mains cet anneau. Je sais maintenant avec certitude qu'il est
50 mort. Hélas !, jamais je ne trouverai de soulagement à ma peine. » Mais quand Tristan la vit pleurer, il prit pitié d'elle, et ce fut à bon droit.

Il lui a dit alors : « Dame la Reine, désormais je ne veux

---

1. **Verger :** jardin planté d'arbres fruitiers qui est le lieu par excellence des rendez-vous amoureux dans la littérature du Moyen Âge.
2. **Grâces lui en soient rendues :** qu'il en soit remercié.
3. **Je me fie :** je fais confiance.

pas me dissimuler davantage, je vais me faire reconnaître et
55 entendre. » Il changea sa voix, parla de sa voix naturelle.
Immédiatement, Iseut reconnut Tristan, elle lui jeta les bras
autour du cou, et lui baisa les yeux et le visage. Tristan dit
alors à Brengain, en manifestant un grand plaisir : « Belle,
apportez-moi de l'eau ; je laverai mon visage, qui est
60 souillé[1]. »

Brengain aussitôt apporta l'eau, et vite lui lava le visage ;
elle lava la sueur et la teinture de l'herbe et la liqueur. Tristan
retrouva sa véritable apparence. Iseut le tient entre ses bras.
Elle éprouve une telle joie de la présence de son ami, qu'elle
65 voit auprès d'elle et tient dans ses bras, qu'elle ne sait quelle
contenance adopter : elle ne le laissera plus partir ce soir-là ;
elle dit qu'il trouvera bon logis, un doux lit, beau et bien fait.
Tristan ne demande pas autre chose que la reine, telle qu'elle
est là. Tristan en est gai et heureux. Il sait bien qu'il a trouvé
70 un bon logis.

---

1. **Souillé** : sali.

REPÈRES

• Pourquoi Iseut ne parvient-elle pas à reconnaître Tristan ?
• Quel est l'autre épisode de l'histoire des amants où le chien de Tristan montre une fidélité exemplaire ?
• Quand Tristan a-t-il donné son chien à Iseut ?

OBSERVATION

• Parmi les moyens utilisés par Tristan pour tenter de se faire reconnaître de la reine, distinguez ceux : a) qui font appel à des souvenirs communs ; b) qui utilisent les gages d'amour échangés par les deux amants. Ces moyens sont-ils efficaces ? Quelle est l'unique preuve qui va finalement réussir à convaincre Iseut ?
• Pourquoi Tristan n'utilise-t-il pas immédiatement ce dernier moyen ? Montrez qu'il veut mettre à l'épreuve son amie. De quoi veut-il s'assurer ?
• Ce passage est-il à l'avantage d'Iseut ? Relevez les termes qui indiquent son trouble et sa souffrance. Relevez ensuite les termes qui indiquent qu'elle souffre. Cette souffrance ne rachète-t-elle pas ce que son comportement peut avoir de blessant pour Tristan ?

INTERPRÉTATIONS

• Analysez la cruauté des deux amants l'un envers l'autre.

DE LA LECTURE À L'ÉCRITURE

Écrivez un bref récit où un héros méconnaissable est reconnu par son chien. Vous pouvez inventer ou vous inspirer de récits que vous connaissez.

La recherche de l'efficacité

Le récit de Marie de France fait 118 vers et la *Folie Tristan* d'Oxford en compte 998. Les auteurs ont choisi d'écrire non un roman, mais un récit bref centré sur le retour auprès de sa bien-aimée de Tristan, exilé par Marc mais incapable de rester loin d'Iseut plus longtemps. Vu les faibles dimensions de leur récit, ils ne perdent donc pas de temps à présenter longuement les personnages ou à rappeler des événements qu'ils savent déjà connus du lecteur. Ainsi, au début de son récit, Marie de France réussit à résumer toute l'histoire des amants en deux phrases : elle va nous parler de « Tristan et de la reine, de leur amour qui fut si parfait, dont ils eurent mainte douleur ; ils en moururent le même jour ». Par la suite, dans les deux récits, tous les éléments narratifs vont converger vers l'objet même du récit : les retrouvailles des amants.

La recherche de la totalité

Cependant, en peu de mots, et en paraissant se concentrer sur un seul épisode qui nous est raconté avec de nombreux détails, les auteurs réussissent à renvoyer à l'ensemble de la légende. Ainsi, dans la *Folie* d'Oxford, Tristan, pour se faire reconnaître d'Iseut fait allusion à des épisodes antérieurs de leur histoire qui sont autant de souvenirs intimes. De plus, l'image d'un Tristan fou d'amour exprime bien l'essence du personnage. Dans le *Lai du Chèvrefeuille*, Marie de France délègue à Tristan ses talents de créatrice et de poète. Tristan, avec l'image du chèvrefeuille et du coudrier, invente un symbole qui exprime le lien indéfectible et réciproque qui l'attache à Iseut. Dans la devise qui l'accompagne (« Ni vous sans moi, ni moi sans vous »), le chiasme traduit parfaitement, mieux qu'un long discours, cette union entre les deux amants.

Comment lire l'œuvre

L'action

Situation des fragments conservés des récits du XIIᵉ siècle par rapport aux grandes étapes de l'histoire légendaire de Tristan et Iseut :

Grandes étapes de l'histoire légendaire de Tristan et Iseut	Enfances de Tristan Conquête d'Iseut	Les amants ensemble	Les amants séparés	La mort des amants
Roman de Béroul	Fragments perdus	Fragment conservé (forme un récit continu)		Fragments perdus
Roman de Thomas	Fragments perdus	Quelques fragments conservés, avec des lacunes entre les différents épisodes		
Récits brefs				

La structure du fragment de Béroul

Structure du roman de Beroul	Les amants à la cour de Marc	Les amants dans la forêt du Morois	Un tournant majeur : le philtre cesse d'agir	Les amants séparés Retour d'Iseut à la cour de Marc
Extraits choisis	*Le rendez-vous épié,* *Les suites du rendes-vous,* *La fleur de farine,* *Le saut de la Chapelle*	*Husdent*	*La fin du sortilège*	*La sépara-tion des amants* *Le Mal Pas*

Questions sur la structure
• En quoi peut-on dire que la structure du fragment de Béroul est répétitive ?
• Quels sont les autres textes qui exploitent le principe de l'« éternel retour » de Tristan ?
• Quelle force vient chez Thomas rompre cette structure répétitive ?
• En quoi la structure de la fin du roman de Thomas peut-elle être rapprochée de celle d'une tragédie ?

Le dédoublement de l'action chez Thomas :
Pour suivre ses deux personnages qui évoluent dans deux lieux séparés, Thomas entrelace ce qui concerne Tristan et ce qui concerne Iseut.

Grandes étapes de l'action	Tristan	Iseut
Tristan exilé	Tristan en Espagne *(Le combat contre l'Orgueilleux)*	
Mariage de Tristan	Tristan épouse Iseut-aux-Blanches-Mains *(Le mariage de Tristan)*	Iseut apprend la nouvelle du mariage de Tristan *(Le Lai de Guiron)*
Bref retour de Tristan en Cornouailles	*Le pauvre sous l'escalier*	
Un processus inéluctable qui conduit à la mort des amants	*La blessure empoisonnée*	
	Tristan envoie Kaherdin auprès d'Iseut	Kaherdin à Londres convaint Iseut de venir soigner Tristan
	La mission de Kaherdin	
	Détresse de Tristan	Iseut en mer
	Le voyage d'Iseut	
Mort des amants	*La mort des amants*	

Les personnages

Schéma actantiel

• **Béroul**

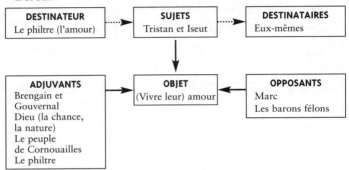

DESTINATEUR	SUJETS	DESTINATAIRES
Le philtre (l'amour)	Tristan et Iseut	Eux-mêmes

ADJUVANTS	OBJET	OPPOSANTS
Brengain et Gouvernal Dieu (la chance, la nature) Le peuple de Cornouailles Le philtre	(Vivre leur) amour	Marc Les barons félons

• **Thomas**

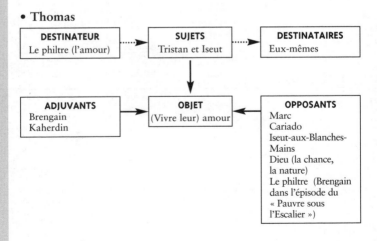

DESTINATEUR	SUJETS	DESTINATAIRES
Le philtre (l'amour)	Tristan et Iseut	Eux-mêmes

ADJUVANTS	OBJET	OPPOSANTS
Brengain Kaherdin	(Vivre leur) amour	Marc Cariado Iseut-aux-Blanches-Mains Dieu (la chance, la nature) Le philtre (Brengain dans l'épisode du « Pauvre sous l'Escalier »)

Les personnages principaux :
un trio chez Béroul, un quatuor chez Thomas

Depuis le Moyen Âge, on a pris l'habitude de désigner les œuvres qui racontent l'histoire des amants de Cornouailles par le titre « Roman de Tristan ». Ce titre se justifie si l'on considère que les romans complets qui nous sont parvenus revêtent la forme d'une biographie de Tristan, de sa naissance à sa mort, alors que nous ne savons rien sur la vie d'Iseut avant qu'elle ne croise le chemin du héros.

Cependant, cette prééminence que l'on accorde au héros masculin ne doit pas faire oublier que la majeure partie de l'œuvre est bien consacrée à l'histoire d'un couple, et que cette histoire se nourrit de l'existence d'un troisième protagoniste. Le roi Marc, le mari trompé, est le principal obstacle à la passion des amants en même temps que l'élément indispensable pour alimenter le récit. Dans le texte de Béroul, un passage exprime de manière frappante, en épousant le point de vue d'Iseut, les tensions qui sont contenues en germe dans cette structure triangulaire : il s'agit du rêve d'Iseut dans la forêt du Morois. Ce rêve dévoile le déchirement de la jeune femme, prise entre son mari et son amant (représentés par les deux lions) ; il est notable que, malgré l'amour qu'Iseut ressent pour le neveu du roi, Tristan et Marc sont ainsi mis sur le même plan.

Les trois personnages sont des êtres déchirés entre leurs sentiments et leur statut social. Dans la société médiévale, les hommes se définissent davantage par leur statut et leur situation familiale (le roi, la reine, l'épouse, le chevalier, le neveu) qu'en tant qu'individus. L'audace du mythe tristanien est de présenter des personnages qui ne veulent pas sacrifier leur bonheur personnel à l'ordre social.

Tristan, chevalier de grande valeur, abandonne le royaume dont il est l'héritier à cause de la passion qui le lie à Iseut. Il demeure auprès de son oncle comme un chevalier sans terre, n'ayant pour vivre que la solde que le souverain lui verse en échange de son service. Il en vient même à négliger ses devoirs de chevalier (voir l'épisode « La fin du sortilège », où Tristan regrette d'avoir manqué à ses devoirs). Le Tristan des versions en vers est donc un personnage bien éloigné des figures héroïques des autres romans de chevalerie du Moyen Âge. Son amour le retient auprès de la reine, l'empêche de partir en aventure et lui impose souvent des combats bien peu héroïques (contre les lépreux dont il délivre Iseut par exemple).

Comme Tristan, **Iseut** regrette, lorsque le philtre cesse son action, d'avoir dû négliger les devoirs que lui imposait son statut de reine. La passion a fait de cette reine fière et orgueilleuse une proscrite vêtue de haillons. Lorsqu'elle est à la cour du roi Marc, la jeune femme doit sans cesse lutter et ruser pour protéger son amour. Outre ses talents de guérisseuse qui l'apparentent aux magiciennes antiques et aux fées des légendes celtiques, le trait propre de cette héroïne est sa parfaite maîtrise du langage, qui lui permet, en jouant sur le double sens et l'ambiguïté, de se sortir de bien des mauvais pas.

Marc est le pivot du triangle. Son trait dominant est l'inconstance : tantôt il écoute ses conseillers et cherche à punir les amants, tantôt il penche pour leur innocence et tend à les protéger. Lui aussi est partagé entre ses sentiments personnels (son amour pour Iseut, puisqu'il a absorbé le reste du philtre d'amour, son affection pour Tristan) et ses obligations de souverain qui doit satisfaire ses vassaux et préserver son honneur. Dans le roman de Thomas, ce triangle fondamental tend à devenir quatuor. Tristan, par son mariage, introduit dans le jeu une autre Iseut. Les liens entre les membres de ce carré infernal sont marqués par l'incomplétude et la souffrance : séparation, absence de l'amour ou du désir... En épousant **Iseut-aux-Blanches-Mains**, double d'Iseut-la-Blonde, Tristan semble vouloir expérimenter la situation conjugale qui est celle de Marc, mais aussi se mettre à la place d'Iseut-la-Blonde (il veut voir si l'on peut désirer quelqu'un sans amour). Cette transformation du trio en quatuor est un des aspects de la modification plus large de la structure actantielle à laquelle se livre Thomas dans le fragment que l'on a conservé (voir ci-dessous).

Les personnages secondaires

Autour des deux amants gravitent un certain nombre de protagonistes secondaires : leur identité et leur personnalité propres, souvent peu évoquées, ont moins d'importance que leur rôle dramatique (leur fonction dans l'action). On peut donc les distinguer selon qu'ils sont des forces favorables ou défavorables à l'amour des amants.

Les adjuvants

Brengain et **Gouvernal** remplissent tous deux des rôles parallèles auprès de Tristan et Iseut. Un peu plus âgés que les amants, ils sont pour eux à la fois des compagnons, des confidents et des conseillers. Ils leur rendent de surcroît les services de demoiselle de compagnie ou d'écuyer. Brengain possède sans doute un relief particulier : dans bien des versions (et notamment dans le roman de Béroul, voir l'allusion p. 58) c'est elle qui commet l'erreur fatale et fait boire le philtre aux amants. C'est elle aussi qui prend la place d'Iseut dans le lit conjugal le soir des noces de la jeune femme avec le roi Marc. Brengain et Gouvernal sont donc des soutiens indispensables aux amants : ils leur servent de messagers, les conseillent et n'hésitent pas à payer de leur personne. Dans le roman de Béroul, **Dieu** est omniprésent dans le discours des personnages comme dans celui du narrateur, qui assimile par exemple le « Saut de la chapelle » effectué par Tristan à un miracle. Dieu, l'instance morale suprême au Moyen Âge, semble favorable aux amants. Dans le dispositif mis en place par Béroul pour innocenter les amants, Dieu est donc, aux côtés du philtre, une pièce maîtresse. **L'ermite Ogrin**, qui joue une part active dans la réconciliation des amants avec le roi Marc, est un personnage intéressant car il incarne les ambiguïtés de l'interprétation par l'Église, institution humaine, d'une morale transcendante. Ainsi, il dénonce le péché des amants et les engage à se repentir. Mais il n'hésite pas à mentir un peu, pour la bonne cause, et sans doute parce qu'il est conscient de la difficulté de trancher le cas de Tristan et Iseut.

Dans le roman de Béroul apparaît une autre force favorable aux deux amants, un groupe de personnages anonymes qui s'expriment collectivement : **le peuple de Cornouailles.** Au moment de l'arrestation de Tristan et Iseut, la foule vient se plaindre devant le palais du roi. Lorsqu'Iseut revient à la cour de Marc, l'auteur mentionne la liesse populaire. En montrant la réaction d'un « public » extérieur au drame mais favorable aux amants dont il a pu éprouver les bienfaits, Béroul invite le lecteur à prendre le parti de Tristan et Iseut.

Les opposants

De même qu'il fait des amis des amants des personnages sympathiques, Béroul va dépeindre leurs ennemis sous un jour très défavorable. Ainsi, les **barons félons,** qui dénoncent avec raison le désordre qu'introduisent Tristan et Iseut dans l'univers mental de la société féodale, sont présentés de manière très négative. Béroul se plaît à souligner leur égoïsme et la haine personnelle qui les oppose à Tristan. Leurs noms (Godoïne, Ganelon et Denoalen) suffisent à les caractériser comme personnages négatifs : Ganelon, par exemple, est le nom du traître responsable de la mort de Roland dans la *Chanson de Roland.* À la fin du fragment de Béroul, les barons ont été tués par Tristan ou Gouvernal. On ignore quelles péripéties nouvelles l'auteur avait imaginées pour justifier le dénouement.

En revanche, dans le roman de Thomas, nous pouvons observer la mise en place d'une nouvelle configuration actantielle au service du dénouement tragique du roman (voir les schémas).

La modification de la structure actantielle chez Thomas et la marche vers le dénouement

De l'épisode du « Mariage de Tristan » jusqu'à « La mort des amants », les objectifs de Thomas sont doubles :
– mettre en place les forces qui vont conduire au dénouement tragique ;
– montrer que ces forces, même si elles sont parfois incarnées par d'autres personnages ou par des circonstances extérieures, relèvent en fait d'un drame intérieur (les amants meurent d'amour et non d'une blessure empoisonnée). D'où le dédoublement des personnages : Tristan et Iseut meurent

à cause d'un autre Tristan et d'une autre Iseut, à cause de sentiments et de tensions qu'ils portent en eux-mêmes.

Le conflit d'ordre féodal est transposé sur un plan personnel, et ce ne sont plus les barons félons qui menacent les amants. En revanche, Thomas introduit un nouveau personnage qui endosse le rôle du médisant et du délateur auprès du roi Marc : **Cariado**. Il est significatif que ce nouvel opposant partage un certain nombre de caractéristiques avec Tristan : c'est un chevalier aussi beau que lui, qui est amoureux d'Iseut. Cariado est comme le reflet inversé de Tristan, dont il ne possède pas la valeur chevaleresque.

Non content de faire intervenir de nouveaux opposants, Thomas transforme des personnages neutres voire favorables en ennemis des amants. C'est le cas d'Iseut-aux-Blanches-Mains, prête à aimer Tristan et à faire son bonheur, qui, lorsqu'elle apprend son amour pour l'autre Iseut, joue un rôle actif dans le dénouement en mentant délibérément sur la couleur des voiles du navire qui ramène sa rivale.

Dans l'épisode du « Pauvre sous l'escalier », il montre aussi comment **Brengain**, à cause des manigances de Cariado, cesse d'aider les amants. Cette défection n'est que provisoire mais elle est un jalon supplémentaire dans le processus de dégradation qui conduit à la mort des amants.

Les **forces immatérielles** qui avaient jusqu'alors soutenu les amants leur font enfin peu à peu défaut. La chance, qui leur avait permis chez Béroul de se rendre compte qu'ils étaient épiés par Marc, ne joue plus en leur faveur et Tristan ne se rend pas compte qu'il est espionné par sa femme. Dieu lui-même, ou les forces naturelles à qui il commande, cessent de leur être favorables. Dans les mentalités médiévales, la tempête était interprétée comme un signe de la colère divine et c'est bien ainsi que le conçoit Iseut, retardée en mer par la tourmente puis l'absence de vent. La force divine finit d'ailleurs par disparaître totalement du roman : il n'y a aucune allusion à Dieu dans la scène finale.

Enfin, Thomas révèle que le **philtre**, symbole de l'amour et force vitale qui pousse les amants à la lutte dans la première partie de l'histoire, est aussi une force de mort.

Amour et mort

Au Moyen Âge, l'Église fait peser une condamnation morale très forte sur le suicide. Dans ces conditions, il est particulièrement délicat pour un auteur médiéval de mettre en scène le suicide de personnages chrétiens. Contrairement aux œuvres antiques ou modernes qui explorent le lien entre amour et mort, les textes médiévaux s'entourent donc d'un certain nombre de précautions. Même si l'amour est donné comme force de mort, cette passion, par le biais du philtre, est présentée davantage comme une fatalité à laquelle les amants se soumettent que comme un choix librement consenti.

L'amour force de vie ou force de mort ?

Du mythe de Tristan et Iseut, on a surtout retenu la version de Thomas, où tout semble converger vers la mort. Cependant, dans les fragments de Béroul que l'on a conservés, ce qui frappe, c'est l'extraordinaire volonté de vie des amants, « leur aspiration obstinée vers le bonheur » (Gaston Paris, Préface au *Roman de Tristan et Iseut* de J. Bédier, 1900). Les amants sont toujours en lutte, résolus à se défendre coûte que coûte dans le but de protéger leur vie et leur amour. Ainsi, lorsqu'ils sont pris en flagrant délit, Béroul insiste bien sur les raisons qui poussent Tristan à se soumettre assez vite à ceux qui l'emprisonnent (voir p. 39). Tristan n'a nullement perdu la volonté de se défendre, il est prêt à se battre jusqu'au bout. Si les amants envisagent l'idée de la mort, c'est uniquement dans la mesure où cette mort pourrait permettre à l'autre d'être sauvé (voir p. 42).

On ne connaît pas la fin choisie par Béroul pour son roman. Il est possible que, comme Thomas, il ait mis en place dans la dernière partie les éléments qui conduisent à la mort tragique des amants. Certains critiques ont au contraire émis l'hypothèse d'un dénouement moins tragique du roman de Béroul. En effet, le hasard de la conservation des textes semble bien respecter une différence dans la tonalité des deux romans : « Autant le texte de Béroul était orienté vers la joie, vers l'amour et vers la réunion des amants, autant celui de Thomas se dirige infailliblement vers la peine, la séparation et la mort » (Marie-Noëlle Lefay-Toury, *La Tentation du suicide dans le roman français du XIIᵉ siècle*, p. 157).

Mais même chez Thomas, la mort n'est vécue par les amants que comme l'ultime alternative à leur impossible réunion dans la vie. C'est ce qui ressort du monologue d'Iseut : « Dieu nous permette de nous réunir afin que je puisse, ami, vous guérir, ou que nous puissions mourir tous deux d'une même angoisse » (p. 111). Face aux forces sociales, naturelles et divines qui semblent se liguer contre eux, les amants ne peuvent plus lutter. Leur mort ne revêt pas un aspect actif : tous deux se laissent mourir. Tristan déclare « il me faut donc mourir de l'amour que je vous porte. Je ne puis plus retenir la vie en moi » (p. 114). Iseut meurt de tendresse en précisant bien que si elle était arrivée à temps, elle aurait pu rendre la vie à Tristan.

Heureux celui qui meurt d'amour ?

Ainsi, la mort n'est pas vraiment recherchée par les amants. Cependant, chez Thomas, elle semble bien l'unique possibilité de réalisation de l'amour laissée aux amants, et c'est cet aspect de la légende qui restera comme l'essence du mythe. Ainsi, dans le *Lai du Chèvrefeuille*, Marie de France résume l'histoire de Tristan et Iseut en associant amour parfait, douleur et union dans la mort. L'impossibilité de la séparation entre les deux jeunes gens et leur destin tragique sont inscrits dans l'image du chèvrefeuille et du coudrier que Tristan choisit comme symbole de leur amour : « Quand il s'y est attaché et pris, et qu'il s'est mis tout autour du tronc, ils peuvent bien durer ensemble ; mais si ensuite on veut les séparer, le coudrier meurt en peu de temps, et le chèvrefeuille fait de même. »

Dans certaines versions de la mort des amants (voir le texte d'Eilhart d'Oberg ci-dessous), cette métaphore végétale, qui exprime à la fois la fragilité et la force de l'amour de Tristan et Iseut, est reprise avec la mention des arbres entrelacés qui poussent sur les tombes des amants.

Thomas lie très tôt dans son récit les notions d'amour et de mort. Le « Lai de Guiron » interprété par Iseut raconte « comment le seigneur Guiron fut surpris et tué pour l'amour de la dame qu'il aimait plus que tout au monde ». Le dialogue qui suit entre Iseut et Cariado tend à présenter le mariage de Tristan avec Iseut-aux-Blanches-Mains comme contenant en germe la mort des amants. L'épisode du « Pauvre sous l'escalier », où « Tristan désire sa mort et hait sa vie », préfigure également le dénouement.

L'amour est présenté comme une force de mort. Ainsi, l'homonymie entre Tristan et Tristan-le-Nain, entre Iseut et Iseut-aux-Blanches-Mains n'est pas innocente. Les amants meurent à cause de leurs doubles, et les personnages secondaires ne font qu'extérioriser les conflits dont les héros sont intérieurement agités. De plus, en insistant davantage sur le désir qu'a Tristan de revoir son amie plutôt que sur les souffrances que lui cause sa blessure empoisonnée, Thomas veut faire comprendre au lecteur que Tristan meurt d'amour. L'expression revient d'ailleurs à plusieurs reprises, dans la bouche du héros comme dans celle de son amie.

Thomas, par un jeu rhétorique et poétique, réussit à rendre sensible l'union des amants dans la mort. Très tôt, dès l'épisode de Tristan le Nain, il introduit à la rime des termes antithétiques qui expriment l'impasse dans laquelle sont engagés les amants et présentent la mort comme seule échappatoire. Les rimes « amur/dolur » (amour/douleur) et « mort/confort » (mort/réconfort) reviennent sans cesse jusqu'à la fin du roman : face à un amour que la société condamne et rend impossible, qui n'est plus que cause de douleur, seule la mort semble pouvoir apporter aux amants l'union et la paix auxquelles ils aspirent. Au moment de mourir, Iseut utilise une métaphore qui rapproche le réconfort qu'elle espère de la mort et le philtre d'amour absorbé jadis par les deux amants : « je trouverai la consolation dans le même breuvage » (« De meisme beivre avrai confort », p. 116). Le philtre, symbole de la fatalité de la passion d'amour, est également breuvage de mort. Ainsi, Thomas rend sensible cette union des amants dans la mort en multipliant les chiasmes, figures de style qui traduisent la réciprocité, (« vous ne pouvez mourir sans moi, et je ne puis mourir sans vous ») et les parallélismes entre les monologues des deux amants : ils répètent tous deux « je meurs pour vous » et semblent se répondre par-delà la séparation et la mort. Ce jeu poétique qui tend à assimiler l'amour et la mort est enfin complété par la proximité phonique en ancien français entre « l'amor » (l'amour, nom féminin en ancien français) et « la mort ».

Thomas met donc bien en place l'équation entre amour et mort que l'on retient comme l'essence du mythe tristanien. Au début du XXᵉ siècle, J. Bédier débute sa reconstitution du roman de Tristan par l'interrogation suivante : « Seigneurs, vous plaît-il d'entendre un beau conte d'amour et de mort ? » D. de Rougemont, dans son essai *L'amour et l'occident* explique le succès de l'histoire des deux amants par la préférence intime du lecteur occidental pour le malheur : « L'amour heureux n'a pas d'histoire. Il n'est de roman que de l'amour mortel, c'est-à-dire de l'amour menacé et condamné par la vie même. Ce qui exalte le lyrisme occidental, ce n'est pas le plaisir des sens, ni la paix féconde du couple. C'est moins l'amour comblé que la passion d'amour. Et passion signifie souffrance. Voilà le fait fondamental. » (p. 15.)

Cependant, c'est au XIXᵉ siècle, notamment grâce à la nouvelle version donnée par Wagner, que s'effectue véritablement l'exaltation de la mort comme absolu de l'amour. Thomas ne s'écrierait pas avec Aragon « Heureux celui qui meurt d'aimer » (*Le Fou d'Elsa*, Paris, Gallimard, 1963, p. 422). La fin tragique des amants se veut avant tout le constat amer de l'impossibilité de l'amour parfait ainsi qu'un avertissement, destiné aux lecteurs amoureux, concernant les souffrances qui leur seront réservées.

Correspondances

- *Tristrant*, Eilhart d'Oberg (*Tristan et Yseut : les premières versions européennes*, Paris, Gallimard, Bibliothèque de la Pléiade, 1995, traduction de René Pérennec, pp. 387-388).
- *Roméo et Juliette* (Shakespeare, *Œuvres complètes*, Bibliothèque de la Pléiade, traduction Pierre-Jean Jouve et Georges Pitoëff, pp. 547-550).
- *Belle du Seigneur*, Albert Cohen, Gallimard, 1968.

—1——————————————

Le *Tristrant* d'Eilhart d'Oberg est le premier récit complet de l'histoire des deux amants qui nous soit parvenu (il a été rédigé avant 1190). Comme la Saga noroise du XIIIᵉ siècle, il mentionne un détail qui ne figure pas dans la version de Thomas, celui des plantes entrelacées qui poussent sur la tombe des amants, signe visible de leur union indéfectible dans l'amour comme dans la mort.

« Tout à sa désolation, le roi Marck dit : "Dieu m'est témoin, j'aurais aimé pouvoir continuer à témoigner mon affection à la reine Isald, ainsi qu'à mon neveu Tristrant, de telle façon que celui-ci serait resté en permanence à mes côtés. Je regretterai toujours amèrement de l'avoir chassé. Mais il faut reconnaître aussi qu'ils ont agi follement en omettant de me dire qu'ils avaient bu le breuvage funeste qui a fait naître entre eux, contre leur gré, une passion aussi intense. Hélas ! noble reine et valeureux Tristrant, je vous remettrais en entière propriété ma terre, mes gens et tout mon royaume si cela pouvait vous rendre la vie !" Le roi traversa alors la mer, en compagnie du messager qui l'avait prévenu. Il jura solennellement à plusieurs reprises qu'il n'avait jamais connu plus grand malheur. Reprenant la mer dans l'autre sens, il ramena les deux corps dans son pays. Je ne peux en dire plus ; tout ce que je sais, c'est que Tristrant et Isald furent enterrés dans la désolation, mais aussi avec de grands honneurs. Je puis vous l'affirmer, on les mit tous deux dans une même tombe. On dit à ce propos, et il m'a été assuré que c'est la vérité, que le roi fit planter un rosier à l'endroit où se trouvait la femme, et un cep de vigne là où était Tristrant. Les deux plantes s'entrelacèrent si étroitement – cela m'a été certifié – qu'il aurait été absolument impossible de les séparer, sinon en se résolvant à les briser. C'était là encore un effet de la force du philtre. Voilà, tout est écrit maintenant, pour ce que j'en sais, de l'histoire du hardi, du valeureux Tristrant. »

Eilhart d'Oberg, *Tristrant*.

2

Issus de deux familles opposées par une haine mortelle, Roméo et Juliette se sont mariés secrètement. Pour pouvoir rejoindre son mari, Juliette, avec l'aide de Frère Laurent, a mis au point un stratagème. Elle absorbe une boisson qui donne l'apparence de la mort. Mais Roméo arrive au tombeau avant que Frère Laurent n'ait pu le mettre au courant.

« **Paris.** – Je me moque de tes adjurations
Et comme un félon je t'arrête.

Roméo. – Tu veux me provoquer ? Alors, à toi, enfant !
(Ils se battent.)

Le Page. – Seigneur, ils se battent ! Je vais chercher la garde.
(Il sort.)

Paris. – Oh ! Je suis tué.
Et si tu as pitié
Ouvre la tombe et couche-moi près de Juliette.
(Il meurt.)

Roméo. – En vérité je le ferai. Que j'examine ce visage :
Le parent de Mercutio, noble comte Paris !
Que disait donc mon serviteur
Quand mon âme soulevée ne pouvait l'entendre
Et que nous chevauchions tous deux ? Il me disait
Que Paris devait épouser Juliette ? Ne l'a-t-il pas dit ?
Ou bien l'ai-je rêvé ? Ou ne suis-je pas fou,
L'entendant parler de Juliette,
D'avoir cette idée ? Oh ! donne-moi ta main,
Toi, inscrit avec moi sur le livre d'infortune !
Je t'ensevelirai dans un glorieux tombeau ;
Un tombeau ? Mais non, ô jeune assassiné, une lanterne !
Car ici Juliette est étendue, et sa beauté
Fait de sa tombe une salle royale emplie de lumière.
Mort, repose, enseveli par un homme mort.
(Il couche Paris dans le monument.)

Combien souvent les hommes sur le point de mourir
Se sont sentis joyeux ! Ceux qui veillent sur eux
Disent : l'éclair avant la mort. Mais moi, pourrais-je
Nommer cette heure éclair ? Ô mon amour, ma femme,
La mort a sucé le miel de ton haleine
Et n'a pas eu de prise encor sur ta beauté
Et tu n'es pas conquise. L'enseigne de beauté
Est encore cramoisie sur tes lèvres, tes joues
Et le pâle drapeau de la mort n'est pas avancé.
Tybalt, gis-tu là dans ton sanglant linceul ?
Quelle plus grande faveur puis-je te donner
Que par cette même main qui trancha ta jeunesse
Rompre celui qui fut ton ennemi ?
Pardonne, mon cousin. Ah ! chère Juliette !
Pourquoi es-tu si belle encore ? Dois-je penser
Que la mort non substantielle est amoureuse
Et que le monstre maigre abhorré te conserve
Ici pour être ton amant dans la ténèbre ?
Par crainte de cela je demeure avec toi
Et plus jamais de ce palais de la nuit obscure
Je ne repartirai ; ici je veux rester
Avec les vers qui sont tes serviteurs ; ici, ici
Je vais fixer mon repos éternel,
Secouer l'influence des étoiles funestes
Et sortir, de cette chair lasse du monde.
Mes yeux, regardez une dernière fois !
Mes bras, prenez votre dernier embrassement !
Et mes lèvres, ô vous
Portes du souffle, par un légitime baiser
Scellez un marché sans âge avec la dévorante mort !
Viens, amer conducteur. Viens, guide repoussant.
Toi désespéré pilote, jette enfin
Sur les récifs brisants ta barque épuisée malade de la mer !
Voilà pour mon amour !
(Il boit.)
                            Honnête apothicaire,
Ta drogue est rapide. En un baiser je meurs.
(Il meurt.)

De l'autre côté du cimetière entre Frère Laurent, portant une lanterne, une bêche et un levier.

(Juliette s'éveille.)

Juliette. – Ô secourable frère ! où est mon seigneur ?
Je me rappelle bien le lieu où je dois être,
Et c'est là que je suis. Où est mon Roméo ?
(Bruit au dehors.)

Frère Laurent. – J'entends du bruit. – Chère dame, sors de ce lieu
De mort, de contagion et de sommeil contre nature :
Une force trop grande que nous n'avons pu détourner
A renversé nos intentions. Viens, sortons, viens.
Ton mari est étendu là mort près de ton cœur,
Paris aussi ; viens, je te placerai
Dans une communauté de saintes sœurs.
Ne perds pas de temps en questions, la garde arrive.
Viens, va, bonne Juliette ; je ne puis plus rester.

Juliette. – Va, va-t'en donc, car moi je ne m'en irai pas.
(Le Frère Laurent sort.)
Qu'est-ce là ? Une coupe
Est serrée dans la main de mon cher amour.
Le poison fut, je vois, sa fin prématurée.
Avare ! tu as tout bu
Et tu n'as pas laissé même une goutte amie
Pour me venir en aide après ?
Je veux baiser tes lèvres ; un peu de poison
Peut-être y est-il encore suspendu
Pour me faire mourir en me ranimant.
(Elle l'embrasse.)
Tes lèvres sont chaudes !

Premier garde, *au dehors*. – Allons, conduis-nous, l'enfant ; de quel côté ?

Juliette. – Ah ! le bruit ?
Alors il faut faire vite.
Toi, poignard chéri !
(Elle saisit le poignard de Roméo.)
C'est ici ton fourreau,
Repose, laisse-moi mourir.
(Elle tombe sur le corps de Roméo.) »

Shakespeare, *Roméo et Juliette.*

3

Ariane a quitté son mari pour vivre avec son amant Solal. Mais ni l'un ni l'autre ne supportent la dégradation de leur amour, entamé par la monotonie et les mesquineries du quotidien. Ariane a déjà absorbé un verre contenant des comprimés de somnifère, elle en apporte un autre à son amant, et le lecteur comprend qu'ils ont l'intention d'en finir.

« "Gentil coquelicot, mesdames", chanta une voix ancienne lorsqu'elle entra chez lui, l'autre verre à la main. Il l'attendait, debout, archange dans sa longue robe de chambre, beau comme au premier soir. Elle posa le verre sur la table de chevet. Il le prit, regarda les paillettes au fond de l'eau. Là était son immobilité. Là, la fin des arbres, la fin de la mer qu'il avait tant aimée, sa mer natale, transparente et tiède, le fond si visible, jamais plus. Là, la fin de sa voix, la fin de son rire qu'elles avaient aimé. « Ton cher rire cruel », disaient-elles. La grosse mouche de nouveau zigzaguait, active, pressée, sombrement bourdonnant, se préparant, se réjouissant.

Il but d'un trait, s'arrêta. Le meilleur restait au fond, il fallait tout boire. Il agita le verre, le porta à ses lèvres, but les paillettes du fond, son immobilité. Il posa le verre, se coucha, et elle s'étendit près de lui. "Ensemble", dit-elle. "Prends-moi dans tes bras, serre-moi fort", dit-elle. "Baise les cils, c'est le plus grand amour", dit-elle glacée, étrangement tremblante.

Alors, il la prit dans ses bras, et il la serra, et il baisa les longs cils recourbés, et c'était le premier soir, et il la serrait de tout son amour mortel. "Encore, disait-elle, serre-moi encore, serre-moi plus fort." Oh, elle avait besoin de son amour, en voulait vite, en voulait beaucoup, car la porte allait s'ouvrir, et elle se serrait contre lui, voulait le sentir, le serrait de toutes ses mortelles forces. À voix basse et fiévreuse, elle lui demandait s'ils se retrouveraient après, là-bas, et elle souriait que oui, ils se retrouveraient là-bas, souriait avec un peu de salive moussant au bord des lèvres, souriait qu'ils seraient toujours ensemble là-bas, et rien que l'amour vrai, l'amour vrai là-bas, et la salive maintenant coulait sur son cou, sur la robe des attentes. »

Albert Cohen, *Belle du Seigneur*.

Amour et folie

Le fou au Moyen Âge : un statut ambivalent

Dans la *Folie Tristan* d'Oxford, l'attitude que les autres personnages adoptent vis-à-vis de Tristan déguisé reflète bien le statut ambivalent du fou au Moyen Âge. Le fou est en effet un marginal et un objet de mépris, mais il n'est pas réellement exclu de la communauté. Il peut être également l'objet de craintes, voire d'une certaine forme de respect. Le fou, pensait-on, entretient des liens mystérieux avec les forces surnaturelles et possède un savoir auquel les autres n'ont pas accès. Il suscite donc à la fois des réactions de rejet et d'attirance.

Le fou, par bien des aspects, appartient au monde des réprouvés. Tristan, lorsqu'il se déguise en fou, se dépouille des attributs qui font de lui un chevalier courtois : il enlaidit les traits de son visage, rend sa voix rauque et grossière, se tond les cheveux, remplace son épée par une massue et échange ses vêtements avec un vilain, un pêcheur qu'il a rencontré. Il adopte un comportement et un discours incohérents qui complètent ces signes extérieurs de folie. Tout ceci fait de lui l'objet des moqueries des jeunes valets qui le frappent et contrefont son allure. Le fou est traité comme un animal (« ils le huent comme l'on fait pour un loup ») ou comparé à un être plus proche de l'état sauvage que de l'état civilisé : par plaisanterie, le portier voit en lui le « fils d'Urgan le Velu », c'est-à-dire d'un géant que sa pilosité abondante rapproche d'un homme sauvage.

Mais en même temps, il est manifeste que le fou n'est pas entièrement exclu. Contrairement aux siècles suivants où l'on enfermera les fous, pendant tout le Moyen Âge ils sont laissés libres d'errer à leur guise. Ainsi, Tristan prétend arriver du mont Saint-Michel en Normandie. Le portier, qui a immédiatement reconnu Tristan comme fou, lui ouvre les portes du palais. La facilité avec laquelle Tristan approche Marc s'explique d'abord parce que le fou est un amuseur qui va pouvoir distraire le roi. Mais, plus profondément, le fou est aussi l'objet d'un certain respect car il possède de mystérieux liens avec le sacré ; il peut, dans sa folie, être le détenteur de vérités secrètes. Ainsi, il est significatif que le fou partage l'un de ses emblèmes, la tonsure, avec les ecclésiastiques. Iseut est saisie de crainte devant ce fou qui sait tout de son cœur et de sa vie, et elle se demande s'il n'est pas devin ou enchanteur.

Tous ces éléments font de la folie le masque idéal pour que Tristan puisse approcher celle qu'il aime.

La folie simulée : une ruse au service de l'amour

Ni la prouesse du chevalier, ni l'intelligence de l'homme courtois ne peuvent procurer à Tristan cette entrevue avec Iseut qu'il désire par-dessus tout. Ainsi, Tristan accepte de se transformer radicalement (le fou est aux antipodes du chevalier) parce qu'il veut revoir Iseut.

Ce déguisement en fou s'inscrit dans la longue série des ruses imaginées par les amants pour se revoir. Tristan a souvent recours au déguisement : dans l'épisode du « Mal Pas » chez Béroul, ou dans celui du « Pauvre sous l'escalier » chez Thomas, il se fait passer pour un lépreux.

Tous ces déguisements semblent donc avoir avant tout une fonction utilitaire : ils permettent à Tristan de revoir son amie sans risquer d'être identifié par ses ennemis. Ils lui permettent aussi de se faire reconnaître d'elle grâce à des gestes ou à des paroles qui semblent en accord avec le déguisement adopté mais qu'Iseut saura adapter à sa propre situation. Ainsi, lorsqu'il est déguisé en lépreux, il demande l'aumône en utilisant le hanap de bois dont la reine lui avait fait présent et celle-ci reconnaît alors son amant (voir « Le pauvre sous l'escalier », p. 90). De même le masque du fou permet à Tristan de mêler à ses propos incohérents des paroles véridiques qui, espère-t-il, permettront à Iseut de l'identifier.

Mais il ne faut pas surestimer cette fonction utilitaire immédiate du déguisement. L'efficacité de cette ruse se révèle somme toute à double tranchant puisque c'est aussi à cause de ce masque déformant qu'Iseut refuse de reconnaître Tristan. La folie a une autre valeur dans le texte. Elle joue surtout comme un révélateur et dit une vérité essentielle sur les amants. C'est bien ce qui se donne à lire dans le pseudonyme choisi par Tristan pour désigner son être de folie. En adoptant le surnom de Tantris (qui est l'anagramme de Tristan), il inverse les signes de son identité chevaleresque et courtoise mais révèle également la vérité de sa nature. Dans les sonorités de ce pseudonyme, on entend « tant tris(te) » (« si triste »). Ainsi s'amorce le jeu de mot sur « Tristan triste » qui sera exploité dans les textes postérieurs. En se dissimulant sous le masque du fou, Tristan a inventé une situation de communication qui lui permet d'avoir le discours vrai qu'il ne peut jamais tenir autrement.

La folie comme vérité de l'amour

• Le fou d'amour : métaphore ou réalité ?

Comparer l'amour à une maladie et plus particulièrement à la folie est une image que les poètes de la littérature médiévale reprennent à Ovide, poète latin qui a exercé une grande influence pendant tout le Moyen Âge. La *Folie Tristan* reprend donc cette métaphore et l'exploite : Tristan, en se déguisant en fou, rappelle que l'amour est comme la folie. Mais, par cette mise en récit, le texte dépasse la simple métaphore. Il établit un lien de causalité entre amour et folie. Celui-ci est conforme aux théories médicales du Moyen Âge, qui établissent une relation entre l'excès des passions violentes et la folie. Tristan, séparé d'Iseut, est dans un état de mélancolie profonde. Dans la version de Berne de la *Folie Tristan* (qui donne une autre version de ce retour de Tristan), le rapport de cause à effet entre amour et folie est encore plus explicite. Tristan décide d'aller rejoindre Iseut car lorsqu'il est séparé d'elle, sa raison défaille. La folie simulée apparaît donc comme le seul moyen d'échapper à la folie réelle. En rejoignant sa dame, Tristan rejoint aussi l'unique médecin qui peut soigner son mal. Les rapports entre apparence et réalité sont donc complexes : Tristan simule la folie mais il est vraiment fou d'amour. Les textes médiévaux qui mettent par la suite en scène le chevalier fou d'amour choisissent de simplifier quelque peu ce dialogue entre la métaphore et la réalité en racontant comment le chevalier, à cause de ses souffrances amoureuses, devient *réellement* fou.

L'ambiguïté délibérément maintenue dans les *Tristan* en vers autorise la mise en scène d'un fou ostentatoire qui se rapproche du bouffon de cour et incite le lecteur à remettre en question l'évidence de la folie : si Tristan est fou, ce n'est pas de cette folie bouffonne que perçoivent les spectateurs de la cour mais d'une folie plus intérieure liée au mal d'amour.

• Fol amour : folie et culpabilité des amants

L'épisode où Tristan se déguise en fou n'est pas le seul à mettre en place l'association entre amour et folie. Tout au long des récits tristaniens, les termes sont souvent associés dans les protestations des amants qui nient éprouver l'un pour l'autre « l'amour insensé » (voir « Le Rendez-vous épié » et le passage en ancien français « li rois pense que par folie vos aie amé »), « l'amour déraisonnable », le « fol amour » (La Clémence de Marc, p. 51), dont les félons les accusent. Dans « La Fleur de farine », Tristan déclare qu'il est prêt à combattre quiconque oserait « soutenir que, par folie, [il s'est] livré au plaisir d'amour avec la reine ». Lorsque Marc les découvre au Morois, il décide de leur faire grâce, persuadé que « s'ils s'aimaient de fol amour », leur attitude serait différente. Dans le roman de Thomas (« Le Pauvre sous l'escalier »), Brengain refuse de continuer à aider les amants : « désormais il ne me sera plus reproché qu'avec mon aide, vous ayez commis quelque folie ». Le terme « folie » ou l'expression « fol amour » marquent donc le jugement moral très défavorable porté sur la relation adultère entre Tristan et Iseut. Aux yeux de la société, l'amour de Tristan et Iseut est une coupable folie. Cependant, les poètes n'en restent jamais à ce rejet de l'amour-passion au nom des normes sociales. Ainsi, les termes « fole amor » sont corrigés et annulés par l'expression laudative « fine amor » (amour parfait, délicat) qui est également utilisée pour désigner la relation entre les deux amants (voir le *Lai du Chèvrefeuille*, l. 120 et « La Mort des amants » chez Thomas, l. 113). De plus, dans le roman de Thomas, la métaphore de la folie est utilisée non seulement pour dénoncer une faute contre le code moral habituellement admis (et donc désigner l'amour illicite entre Tristan et Iseut) mais aussi pour qualifier les fautes que Tristan commet contre l'amour qui l'unit à Iseut (par exemple son mariage avec Iseut-aux-Blanches-Mains). Le lecteur est donc là-encore amené à s'interroger et à mesurer la réversibilité des notions de folie et de sagesse, de faute et d'innocence.

• Folie et sagesse

La question posée par le texte de la *Folie Tristan* est donc la suivante : qui est le véritable fou ? Tristan, qui simule la folie par amour mais peut, de cette manière, dire la vérité, et qui maîtrise totalement la situation ; Iseut, qui ne le reconnaît pas et a peur ; ou Marc, qui rit sans comprendre que Tristan se moque de lui ? Par son rire, le roi transforme le fou en bouffon mais la folie du bouffon ne fait que renvoyer à la folie du roi. Les possibilités de substitution entre le fou et le roi sont suggérées par Tristan, qui propose au souverain un échange entre sa sœur et Iseut. Marc ne prend pas la mesure de cette parole irrévérencieuse où Tristan avoue clairement son désir pour la reine. Lors de l'épisode du « Mal Pas » chez Béroul, le roi fait preuve du même manque de perspicacité face aux allusions de Tristan qui rapproche son amie de la reine Iseut et va jusqu'à assimiler le roi à un lépreux : « Sire le roi, son mari était lépreux, je prenais mon plaisir avec elle ; ce mal m'est venu de notre liaison. »

Folie et poésie

Dans les commentaires de la cour, qui observe le spectacle dont Tristan se fait l'acteur, folie et art du discours sont liés : « Voici un fort bon fou. C'est un bon diseur de balivernes, il parle mieux que quiconque ». Par les balivernes qu'il invente, « à travers le dérèglement de sa vision du monde, le fou rejoint le poète » (J.-M. Fritz, *Le Discours du fou au Moyen Âge*, Paris, PUF, 1992, p. 365).

Dans la *Folie Tristan* d'Oxford, le recours au langage voilé, le jeu continu sur les métaphores filées rapprochent Tristan du poète. Tristan, en simulant le langage incohérent et décousu du fou, crée un monde imaginaire. L'un des ressorts de cette invention verbale portant la marque de la folie est le procédé du « monde à l'envers », procédé carnavalesque où les valeurs habituelles n'ont plus cours. Tristan l'utilise par exemple lorsqu'il évoque la scène burlesque des noces de l'abbé du mont Saint-Michel. Avec la phrase finale, d'une densité presque fantastique, Tristan suggère des scènes équivoques de sabbat et de magie noire : « Sur la Lande, sous Bel Encombre, c'est là qu'ils sautent et jouent dans l'ombre. »

Arrivé devant Marc qui se renseigne sur son identité, Tristan invente des réponses apparemment décousues. Mais elles renvoient de façon biaisée à sa véritable histoire et Tristan en profite pour lui donner une dimension héroïque. Cette rêverie sur les origines s'organise autour d'un bestiaire merveilleux (la baleine, la sirène, la tigresse) et sur un schéma narratif qui est celui de l'enfant abandonné et recueilli par une bête sauvage, schéma présent dans les récits d'enfance de bien des héros (Romulus et Rémus, par exemple).

Enfin, cette recréation poétique d'un monde plus beau trouve son expression la plus achevée dans l'invention du « palais de verre ». Avec ce rêve d'un lieu en dehors du monde et traversé par la lumière s'affirme le désir fou d'un amour qui pourrait être vécu au grand jour, sans les dissimulations et les ruses que le monde réel impose aux amants. Tristan possède donc encore un autre visage : celui du poète. Ses talents contribuent très tôt à caractériser le personnage. Ainsi, dans la *Folie Tristan* de Berne, Tristan rappelle à Iseut comment, naguère, en Irlande, il lui a appris à jouer de la harpe. Cet épisode était sans doute développé dans les passages perdus des premiers romans français. Les romans postérieurs ne feront que renforcer ce trait : dans le *Tristan en prose*, Tristan est reconnu comme le maître incontesté dans l'art de composer des lais d'amour.

Dans la théorie de l'inspiration antique et médiévale, le poète est un homme animé par une fureur, une folie poétique. Comme le fou d'amour, il est dominé par l'humeur mélancolique. Le début du *Lai du Chèvrefeuille* offre de grandes ressemblances avec le début de la *Folie Tristan*. Dans les deux cas, Tristan, séparé de sa bien-aimée, est en proie à un désespoir qui anéantit sa volonté de vivre. Mais Marie de France ne fait pas endosser à son héros le masque du fou pour qu'il puisse approcher la reine. C'est en utilisant un langage codé qu'il a mis au point avec elle que Tristan lui signale sa présence. Le héros est présenté comme l'auteur du lai que Marie retranscrit, et c'est par le biais de cette activité d'écriture qu'il peut surmonter la douleur de la séparation et de l'attente. Grâce au récit de la genèse du lai, qui constitue le sujet même du texte de Marie de France, l'histoire douloureuse des deux amants est saisie dans un moment de joie et de sérénité qui tranche avec l'ensemble de la légende.

Faire de Tristan un poète et insister sur la qualité de sa création poétique est bien sûr une manière pour l'auteur d'attirer l'attention sur sa propre compétence d'écrivain. Cette connivence naturelle entre le poète et l'amant malheureux, tous deux habités par une folie voisine, sera exploitée dans toute la poésie amoureuse, sous le double patronage des figures d'Orphée et de Tristan, jusqu'à la poésie moderne.

Correspondances

• Ovide, *Les Héroïdes*, XI, 27 (traduction Marcel Prévost, Paris, Les Belles Lettres, 5ᵉ édition, 1991) : troubles et tourments de la naissance de l'amour.

• Chanson d'amour de Gace Brûlé, poète du XIIᵉ siècle (« Les oisillons de mon pays », *Anthologie thématique de la poésie française du Moyen Âge*, traduction de Pierre Jonin, Paris, Champion, 1991, p. 188, strophes 3 et 4).

• La folie d'Yvain dans *Le Chevalier au lion* de Chrétien de Troyes, traduction de David Hult, Le Livre de Poche, Paris, 1994, Lettres Gothiques.

Le trio adultère au Moyen Âge

La poésie lyrique : la femme, le poète et les médisants

La chanson courtoise, qui apparaît dès le début du XIIᵉ siècle, n'est pas un genre narratif (elle ne raconte pas d'histoire) mais un genre lyrique. Le poète-amant qui écrit à la première personne exprime son désir inassouvi envers une dame qu'il ne nomme jamais. Plus qu'un éventuel mari, les opposants à son amour sont les envieux, les médisants et les faux amants, qui disent du mal du poète en contestant l'intensité de son amour et la sincérité de ses discours. Bien qu'elle soit écrite à la première personne, cette poésie est plus formelle que personnelle : il s'agit de variations sur des canevas bien définis, dont fait partie ce triangle érotique, plutôt que de l'expression d'une situation vécue par l'auteur. Les « personnages », qui représentent des pôles abstraits, ne sont jamais caractérisés.

La situation de Tristan, amoureux d'une femme mariée, se prête naturellement au rapprochement avec le triangle courtois. Les romanciers ont ainsi transposé dans leur roman un certain nombre d'images venues de la poésie et leur ont donné un développement narratif. Par exemple, chez Béroul, les barons félons jouent le rôle des médisants de la chanson courtoise. Thomas, avant d'introduire le personnage de Cariado, parle lui aussi du tort que les envieux causent à Tristan.

Le triangle courtois

La doctrine courtoise qui se dégage des chansons des troubadours et trouvères sera ensuite théorisée dans les *Arts d'aimer*, qui rassemblent des conseils pratiques et des jugements concernant l'amour. Ils mettent en avant la liberté fondamentale qui préside à l'amour. Ce sentiment ne peut donc pas exister entre deux êtres mariés, puisque le mariage fait de l'amour un devoir. L'amant doit à sa dame le service d'amour et celle-ci ne doit accorder son amour que lorsqu'elle est sûre du mérite du prétendant.

On mesure donc toutes les différences qui subsistent entre les romans de Tristan et la doctrine courtoise. La donnée fonda-

Mariage d'Iseut et du roi Marc, XVᵉ siècle, Musée Condé, Chantilly.

mentale de la légende, le philtre, est en contradiction avec l'idée de libre choix dans l'amour.

De plus les autres récits qui exploitent les données du triangle courtois ont pour point commun de se placer du côté des amants et de gommer le personnage du mari. Ainsi, dans *Le Chevalier de la Charrette* de Chrétien de Troyes, qui raconte les amours de Lancelot et de Guenièvre, Arthur, l'époux de Guenièvre, est très peu présent. L'auteur insiste sur les épreuves que doit endurer le héros avant de connaître, dans un pays lointain et irréel, une brève nuit d'amour avec la reine.

Les fabliaux et les farces : l'amant, la femme et le mari cocu

Les fabliaux et les farces mettent en scène le même trio de personnages mais d'un tout autre point de vue. Dans ces contes à rire ou ces pièces de théâtre comiques, les personnages et leurs sentiments ont moins d'importance que la facétie des situations imaginées et l'inventivité des ruses qu'ils mettent en place pour arriver à leurs fins.

Comme le souligne Per Nykrog, le triangle érotique a deux visages « l'un pénible, l'autre sublime, et du point de vue littéraire il y a entre eux une différence de style : le conte romantique place la femme et l'amour au premier plan, en repoussant le mari à l'arrière-plan comme une vague menace ; le conte comique insiste sur les relations entre le mari et la femme, l'amant étant souvent réduit à l'état d'ombre et de ressort pur » (*Les Fabliaux*, Copenhagen, 1957, p. 69).

Béroul et Thomas : une vision différente du trio adultère ?

Ainsi, romans et fabliaux semblent deux genres opposés : la qualité des personnages que les fabliaux mettent en scène (des bourgeois ou des vilains) va de pair avec la tonalité vulgaire, familière, burlesque qui est employée. Les romans au contraire font agir de nobles personnages (roi, reine, chevalier) dans un registre élevé. Cependant, au Moyen Âge, la séparation entre les genres est loin d'être rigide. Contrairement à ce que l'on pensait au XIXᵉ siècle, il est maintenant établi que ces deux formes de récit étaient destinées au même public.

Dans le roman de Béroul, de nombreuses scènes laissent penser que l'auteur envisage le trio formé par Tristan, Iseut et Marc selon des modalités bien proches des fabliaux. Ainsi, la scène du « Rendez-vous épié » nous montre un roi bien peu glorieux, obligé de grimper dans un arbre pour savoir à quoi s'en tenir sur son infortune conjugale. La suite de ce rendez-vous, qui raconte comment Iseut et Tristan réussissent à retourner la situation à leur profit, exploite le thème comique de « l'arroseur arrosé », et plus précisément du « mari battu et content ». Non seulement Marc a passé un bien inconfortable quart d'heure, mais il se déclare heureux d'avoir pu acquérir la certitude de la fidélité de sa femme ! Cette tonalité farcesque se retrouve également dans le passage du Mal Pas, où Tristan prend plaisir à envoyer ses ennemis dans la fange. L'auteur s'attarde complaisamment sur cette vision d'une cour souillée par la boue. Le roi Marc, qui rit des sous-entendus infamants de Tristan, paraît particulièrement ridicule.

Cette tonalité comique semble bien être une spécificité du roman de Béroul. Chez Thomas en effet, le ton est beaucoup plus grave. La comparaison entre l'épisode du « Mal Pas » et celui du « Pauvre sous l'escalier », où Tristan est également déguisé en lépreux, est à cet égard éclairante. L'auteur insiste sur la tristesse des amants, et la comédie triomphante qu'ils jouaient devant le roi Marc a complètement disparu.

Cependant, chez Béroul comme chez Thomas, les personnages possèdent une complexité et une épaisseur qui les éloignent de ces simples fonctions narratives que sont les personnages de fabliau. Marc, notamment, n'est pas le simple cocu de la farce. Thomas le fait figurer en bonne place dans le quatuor tourmenté dont il retrace les souffrances. Même chez Béroul, il est un élément essentiel de l'ambiguïté qui est la marque de ce roman. Oscillant entre le ridicule et la grandeur (dans l'épisode du Morois où il fait grâce aux amants, par exemple), il renvoie le lecteur à l'indécision fondamentale entre vérité et mensonge, culpabilité et innocence que Béroul a voulu mettre en relief.

Le roi, la reine et le chevalier

Dans le roman de Thomas, la condition sociale des amants importe peu. Thomas, moraliste et psychologue, ramène le problème à des données intérieures et gomme le conflit féodal qui vient chez Béroul compliquer les relations au sein du trio adultère. Celles-ci posent en effet à la fois un problème moral et un problème social, et la plupart des romans postérieurs qui, explicitement ou implicitement, discutent avec le mythe de Tristan devront s'attaquer à l'un et à l'autre.

• Un problème moral

Comment une société aussi profondément chrétienne que la société médiévale peut-elle tolérer l'adultère ? La légende tristanienne offre une manière commode d'éluder la question : le philtre permet de dénier toute responsabilité aux amants. Mais ni Béroul ni Thomas ne se servent pleinement de cet alibi. Tous deux montrent les effets destructeurs de la passion et ne dissimulent nullement son aspect subversif.

Dans son roman *Cligès*, Chrétien de Troyes donne la parole à une héroïne qui refuse, au nom des valeurs morales, l'amour tristanien et le partage entre deux hommes qu'il implique. Mais le trio subsiste en creux : même si l'adultère n'est pas consommé, Fénice trompe son mari Alis, en utilisant un philtre qui lui permet de garder sa virginité, et en se faisant passer pour morte. La situation n'est résolue qu'au prix d'un artifice littéraire. Chrétien avait peut-être trouvé une solution plus efficace et plus convaincante dans le roman qu'il avait sans doute écrit sur Marc et Iseut-la-Blonde. L'existence de ce roman perdu ne nous est connue que grâce à l'allusion qui figure dans le prologue de *Cligès*. Cette solution radicale choisissait peut-être de gommer singulièrement la place du troisième membre du trio, Tristan.

Mais si l'on s'en tient aux romans qui nous sont parvenus, il semble bien que les écrivains du XIIe et du XIIIe siècle aient surtout apprivoisé le mythe en subordonnant la résolution du problème moral au problème social qu'il implique également.

• Le problème social

Le *Tristan* de Béroul pose avec une acuité particulière le problème social que représente une relation adultère entre la reine et un chevalier. Marc, en écoutant les barons félons qui veulent la perte de Tristan, prive son royaume de son meilleur soutien. Lorsqu'il décide de brûler la reine, il s'expose aux représailles des parents irlandais d'Iseut. Ainsi, le triangle adultère composé du chevalier, de la reine et du roi incarne un équilibre fragile, et cette fragilité renvoie sans doute, de manière métaphorique, aux rapports entre la royauté et la classe chevaleresque.

G. Duby, dans un article intitulé « À propos de l'amour qu'on dit courtois » (*Mâle Moyen Âge*, Flammarion, 1988) a montré comment le triomphe de l'idéologie courtoise ne peut socialement se comprendre que si l'on admet que le désir que le chevalier éprouve pour la dame renvoie en fait aux relations qu'il entretient avec son suzerain. Dans la réalité sociale du XIIe siècle, il est impensable qu'un chevalier connaisse une liaison adultère avec la femme de son seigneur. Mais, pour tromper le désir des jeunes chevaliers sans terre et sans espoir de se marier, on a développé un jeu social, dont la littérature est l'une des facettes, qui encourage le chevalier à cultiver et entretenir par ses prouesses un désir sans espoir envers la femme du seigneur. Ainsi, la dame des romans n'est qu'un leurre, qui incarne idéalement la circulation du désir entre le roi et le chevalier.

Les romans du XIIIe siècle retravaillent donc le trio tristanien de manière à mettre la passion au service de la société. Dans le *Lancelot en prose*, Lancelot, qui est chevalier de la reine et non d'Arthur, est le meilleur ami du roi et le plus sûr soutien de son pouvoir. Les tensions ne sont cependant pas résolues et la jalousie du roi, incapable de faire place au désir du chevalier, éclate au grand jour dans *La Mort du roi Arthur*, causant ainsi l'effondrement du monde arthurien.

Le mythe tristanien est donc une représentation exemplaire des contradictions et des tensions qui agitent la société féodale. Mais ce mythe contient aussi des éléments intemporels dans lesquels toutes les époques peuvent trouver matière à réflexion. Sa permanence est sans doute à mettre en relation avec l'extraordinaire fécondité du trio adultère comme matrice romanesque. Comme le dit P. Nykrog, « le triangle érotique restera toujours le même, dans toute la littérature européenne jusqu'à nos jours, et il gardera toujours ces deux aspects : romantique ou courtois, et trivial ou réaliste ». Même lorsque le sens de l'honneur, du devoir ou de la fidélité conjugale finissent par l'emporter, le trio adultère a fourni préalablement la matière des développements qui donnent corps à l'œuvre littéraire. Toute histoire d'amour est, fondamentalement, l'histoire des obstacles à cet amour, et le roman, comme le conte de fée, se tarit avec la plénitude du bonheur.

Correspondances

Les deux visages du triangle érotique au Moyen Âge
• La version courtoise
– La nuit d'amour entre Lancelot et Guenièvre (Chrétien de Troyes, *Le Chevalier de la Charrette*, traduction Charles Méla, Paris, 1992, Lettres Gothiques, pp. 358-359).

–1

Pour retrouver la reine avec qui il a rendez-vous, Lancelot doit ôter les barreaux de la fenêtre de sa chambre.

« La reine, à ces mots, s'en retourne,
et lui prend ses dispositions
pour venir à bout de la fenêtre.
Il s'attaque aux fers et les tire à lui,
réussissant à tous les tordre,
à les extraire de leur place,
mais leur fer était si coupant
qu'au petit doigt il s'entailla
jusqu'aux nerfs la première phalange
et se trancha au doigt voisin
toute la première jointure.
Mais son esprit est bien ailleurs
et il ne sent rien du sang qu'il perd
ni d'aucune de ses blessures.

La fenêtre était assez haute,
Lancelot cependant y passe
avec facilité et vite.
Il trouve Keu qui dormait dans son lit,
puis s'avance jusqu'au lit de la reine.
Devant elle il s'incline, en une adoration,
car il ne croit autant aux plus saintes reliques,
mais la reine lui tend les bras
à sa rencontre, elle l'enlace,
et l'étreint contre sa poitrine,
elle l'attire à elle dans son lit
et lui fait le plus bel accueil
qu'elle puisse jamais lui faire,
car il jaillit du cœur et de l'amour.
Amour la pousse à lui faire ainsi fête.
Mais si grand que soit pour lui son amour,
il l'aime cent mille fois plus,
car Amour a laissé les autres cœurs
à l'abandon, mais pas le sien.
Amour a repris tout entier
vie dans son cœur et de façon si absolue
qu'il est partout ailleurs resté médiocre.
Lancelot voit à présent tous ses vœux comblés,
puisque la reine se plaît à avoir
l'agrément de sa compagnie,
puisqu'il la tient entre ses bras
et elle lui entre les siens.
Dans les baisers et les étreintes
il trouve au jeu un si doux bonheur
que, sans mentir, il leur advint
une joie d'une telle merveille
que d'une pareille encore
on n'entendit jamais parler.
Mais je garderai le silence sur elle,
car sa place n'est pas dans le récit ! »

Chrétien de Troyes, *Le Chevalier de la Charette.*

– La constitution du triangle amoureux : Lancelot devant Arthur et Guenièvre (*Lancelot du Lac* [Le Roman de Lancelot en prose], traduction F. Mosés, Paris, 1991, Lettres Gothiques, tome I, pp. 437 et 439).
– Arthur apprend l'adultère de la reine et de Lancelot (*La Mort du roi Arthur*, traduction Marie-Louise Ollier, 10/18, 1992, pp. 101-102).
– Le refus du triangle adultère (*Cligès*, traduction Charles Méla et Olivier Collet, Paris, 1994, Lettres Gothiques, pp. 231 et 233, vv. 3099-3134).
• La version comique
– Le roi Noble trompé par Renart (*Le Roman de Renart*, traduction Jean Dufournet et Andrée Méline, Paris, Garnier Flammarion, 1985, branche Ia, pp. 133 et 135, vv. 1765-1814).

–2

Noble, le roi-Lion, et ses troupes assiègent Maupertuis, le château de Renart.

« Un soir, alors qu'épuisés
et excédés de tous ces assauts,
chacun était étendu dans sa tente,
l'esprit tranquille, pour une longue nuit,
la reine, qui était fâchée
et irritée contre son époux,
s'était couchée à l'écart de la tente royale.
Or voici que Renart était sorti
de son château en toute tranquillité.
Il les vit dormir paisiblement,
étendus l'un sous un chêne,
les autres sous un hêtre, un tremble, un charme ou un frêne.
Il les attacha solidement l'un après l'autre
par la queue ou par la patte.
Quel tour diabolique il leur a joué là !
À chaque arbre il attacha son homme
sans oublier le roi qu'il lia par la queue ;
ce sera un vrai miracle s'il réussit à défaire le nœud !

Ensuite il s'approcha de la reine
qui était couchée sur le dos.
Il se glissa entre ses jambes.
Sans se méfier de Renart,
elle crut que c'était son mari
qui voulait se réconcilier avec elle. [...]
Voyant que Renart l'avait prise en traître,
elle poussa un cri, stupéfaite.
Depuis longtemps, le jour avait paru
et la matinée était bien avancée.
Le cri de la reine tira
tous les dormeurs de leur sommeil.
Jugez de leur stupeur lorsqu'ils virent
ce rouquin de Renart en compagnie de la dame,
tout à un jeu
qui était loin de leur plaire.
Tous hurlèrent : "Debout, debout ;
et saisissez-vous de ce fieffé brigand !"
    Messire Noble se dresse sur ses pattes.
Il tire et tire encore : en pure perte.
Il s'est presque arraché la queue
qu'il a allongée d'un bon demi-pied.
Et les autres tirent, tirent encore ;
ils sont bien près de se déchirer l'arrière-train.
Mais Renart avait oublié
d'attacher maître Tardif le limaçon,
le porteur de l'oriflamme,
qui courut donc délier les autres.
D'un coup d'épée, il trancha les nœuds,
coupant à chacun le pied ou la queue.

Le Roman de Renart.

– Le mari battu et content (« La Bourgeoise d'Orléans »,
Fabliaux, traduction Rosanna Brusegan, Paris, 1994, 10/18,
pp. 173-179).

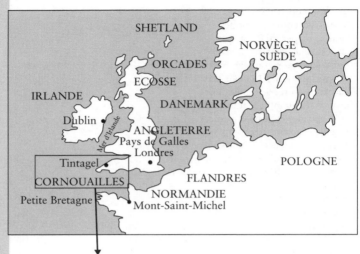

Carte de la Cornouailles

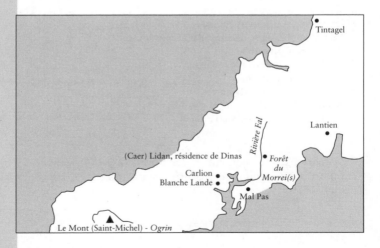

Compléments notionnels

Lexique des termes de civilisation

Aventure

Étymologiquement, ce qui doit arriver. Dans les romans, ce terme désigne tout spécialement l'épreuve difficile, voire merveilleuse, qui permettra au chevalier de montrer sa valeur.

Barons

Riches et puissants seigneurs qui forment la partie la plus influente des vassaux d'un roi. Leur pouvoir est tel qu'ils peuvent être dangereux pour le roi s'ils décident de lui faire la guerre.

Chevalier

À l'origine, guerrier à cheval possédant un équipement spécifique dont il assume lui-même la charge financière, soit grâce à un fief, soit en louant ses services à un seigneur. Vers la fin du XIIᵉ siècle, les chevaliers tendent à se confondre avec les nobles. Le terme devient signe d'une haute appartenance sociale et se charge d'une idéologie particulière (générosité, bravoure, protection de l'Église et des faibles).

Combat judiciaire

Combat singulier destiné à déterminer la culpabilité. Dieu étant toujours du côté du droit, le vainqueur au combat est toujours celui qui est innocent.

Courtoisie

Terme formé sur le mot « cour » (assemblée tenue autour d'un roi ou d'un prince). Au sens large, la courtoisie est donc l'ensemble des qualités nécessaires à la vie de cour (raffinement, élégance, bonnes manières…). C'est parce qu'ils possèdent ces qualités que Tristan, Iseut ou Cariado peuvent être dits **courtois**. Dans un sens plus spécialisé, l'« amour courtois » désigne une manière d'envisager l'amour, un art d'aimer qui repose notamment sur le service de la dame, (c'est la *fin'amor*, ou « amour parfait », célébré par les troubadours).

Dame

Femme de haut rang, épouse du seigneur.

Destrier

Cheval de guerre, plus haut et plus résistant que les autres, dont le prix est très élevé et que le chevalier ne monte qu'au combat. Quand le chevalier ne le monte pas, l'écuyer,

Deux épisodes de Tristan et Iseut.
Miniature extraite du Roman de la Poire *(1275), BNF.*

tout en montant son propre cheval, le conduit à côté de lui, en le tenant de la main droite (d'où son nom).

Écuyer

Serviteur du chevalier, chargé de s'occuper des armes et du cheval de son maître. Au XIIᵉ siècle, l'écuyer est souvent un jeune noble qui fait l'apprentissage de la chevalerie.

Ermite

Religieux retiré dans un lieu désert et vivant de manière austère.

Félon

Qui renie la fidélité (ou **foi**) due à son seigneur. Par extension : déloyal, hypocrite, traître.

Forestier

Agent royal chargé de surveiller la forêt.

Hommage

Cérémonie par laquelle on reconnaît être l'homme (le vassal) d'un autre homme (le seigneur). L'hommage implique des obligations réciproques et une fidélité mutuelle. Le vassal doit en plus une aide militaire et a une obligation de conseil envers son seigneur. En échange, le seigneur lui accorde sa protection, militaire ou non. L'hommage s'accompagne généralement de l'investiture (le don) d'un fief. Lors de cette investiture, le seigneur remet au vassal un objet symbolique de cette concession, par exemple un gant.

Hommage-lige

Hommage prioritaire prêté par un vassal à un seigneur à qui il devra fidélité en priorité sur tous les autres. On recourt à l'hommage-lige quand un vassal a plusieurs fiefs et relève donc de plusieurs seigneurs, ou bien lorsqu'on demande à quelqu'un un service particulièrement important, comme Tristan-le-Nain à Tristan.

Joute

Combat à la lance entre deux cavaliers.

Lignage

Ensemble de ceux qui sont liés par le sang.

Loyauté

Fidélité (à son seigneur, à sa dame…).

Prouesse

Qualité ou action d'éclat du chevalier, essentiellement dans le domaine guerrier (courage, valeur au combat).

Serf *(fém. serve)*

Statut d'une personne, intermédiaire entre celui d'esclave et d'homme libre. Le serf est attaché à la terre de son seigneur qui peut tout exiger de lui.

Sire/seigneur

Ce sont deux formes du même mot, vestiges de la déclinaison qui subsistait en ancien français. Le seigneur est un noble possédant des terres et par là une certaine puissance ; il cède à certains individus des fiefs en échange de services. C'est une appellation respectueuse, qu'on utilise également pour Dieu. Enfin, « seigneur » peut désigner le mari d'une femme.

Serment judiciaire

Serment prononcé sur des objets sacrés (reliques ou Bible), qui a valeur de preuve (on considérait que si Dieu ne se manifestait pas, c'était la preuve de la vérité du serment).

Service

Obligations (aide militaire ou financière, devoir de conseil) dues par le vassal au seigneur, par l'écuyer au chevalier. L'amour courtois envisageait les relations entre la dame et son amant sur le modèle de celles entre un seigneur et son vassal, l'amant doit un service amoureux à sa dame, qu'il considère comme son seigneur.

Vassal

Homme qui se place librement sous la protection et dans la dépendance d'un seigneur.

Vaillant

À l'origine, « vaillant » était le participe présent du verbe « valoir » et signifiait donc « qui a de la valeur » (dans tous les domaines). L'adjectif s'est ensuite spécialisé pour désigner la valeur guerrière (il est synonyme de « courageux », « brave »).

Vilain

Au Moyen Âge, désigne le paysan et par extension toutes les personnes qui ne possèdent pas les qualités courtoises et sont moralement vulgaires ou méprisables.

Lexique de la lecture méthodique

Auteur
Celui qui produit le texte. L'auteur est du domaine de la réalité sociale, par opposition au narrateur dans un récit, qui est construit par le texte.

Champ lexical
Ensemble de mots développant un même thème. Exemple : le champ lexical de la mort.

Chiasme
Figure de style qui consiste à reprendre les termes d'une phrase dans un ordre inversé. Exemple : « Ni vous sans moi, ni moi sans vous » (on peut représenter cette figure par une croix qui relie les mots deux à deux).

Connotation
Sens particulier d'un mot ou d'une expression qui vient s'ajouter au sens ordinaire selon la situation ou le contexte.

Didactique
Qui a pour but d'instruire.

Énonciation
Production d'une phrase, qui prend place dans le temps et dans l'espace par l'intermédiaire d'un locuteur (celui qui parle) s'adressant à un interlocuteur. Les marques de l'énonciation (ou **marques énonciatives**) sont les indices textuels (pronoms, temps verbaux, adverbes) qui permettent d'identifier celui qui parle, le lieu et le moment de cet acte de parole.

Fabliau
Conte à rire du Moyen Âge.

Farce
Petite pièce de théâtre qui ne comporte que 3 ou 4 personnages (le mari, la femme, le valet, l'amoureux), qui vise à donner le spectacle de la sottise et de la ruse. Souvent la ruse se retourne contre celui qui l'a imaginée. Les effets comiques sont simples mais efficaces.

Figure de style
Mot ou expression qui, au lieu de dire les choses de la façon la plus simple ou directe, prend une forme détournée, de façon à ajouter une nuance de sens.

Laudatif
Qui contient un éloge.

Marques énonciatives
Voir « Énonciation ».

Métaphore
Figure où l'on emploie un mot à la place d'un autre, avec lequel il a un rapport de sens ; la métaphore se fonde sur une comparaison sous-entendue.

Monologue (intérieur)
Transcription à la première per-

sonne des pensées et états d'âme d'un personnage. Dans la littérature médiévale, le monologue se présente exclusivement sous la forme d'un long discours que le personnage s'adresse à lui-même, comme s'il parlait à haute voix.

Péjoratif

Qui contient un blâme, qui dénigre, ou déprécie ; contraire de laudatif.

Style direct

Manière qu'a l'écrivain de retranscrire les paroles d'un personnage comme il les a exactement prononcées. Exemple : Iseut disait à Tristan : « Le roi se doute de quelque chose » (comparez avec « Iseut disait à Tristan que le roi se doutait de quelque chose », où les paroles d'Iseut sont transcrites au style indirect).

Symbole

À l'origine (en grec), le symbole désignait un objet coupé en deux constituant un signe de reconnaissance quand on pouvait en assembler les deux morceaux. Par extension, est symbole tout objet ou signe qui renvoie à autre chose, souvent une idée abstraite. Ainsi

dans *Tristan et Iseut* le philtre est le symbole de l'amour des amants.

Types de phrases

Il existe 4 types de phrases qui permettent à celui qui parle de manifester son attitude par rapport à ce qu'il dit : les phrases déclaratives (ce qui est dit est présenté comme vrai) ; interrogatives ; impératives ou jussives (ce qui est dit est présenté comme la volonté de celui qui parle) ; exclamatives (ce qui est dit est présenté comme la réaction affective, l'expression de l'émotion de celui qui parle face à un événement).

Verbes de modalité

(ou auxilliaires de modes)
Verbes par lesquels le locuteur marque qu'il considère l'action à accomplir comme une obligation, une probabilité, une volonté, une possibilité (devoir, pouvoir, vouloir, falloir).

Vraisemblance

Qualité de ce qui semble vrai, qui imite le vrai et qui est acceptable comme tel même si cela n'est pas strictement vrai.

Éditions bilingues des textes

• *Tristan et Yseut (Les Tristan en vers)*, édition et traduction par Jean-Charles Payen, Paris, Bordas, Classiques Garnier, 1989.

• *Tristan et Iseut (Les poèmes français, la saga norroise)*, édition et traduction par Philippe Walter et Daniel Lacroix, Paris, 1989 (Lettres Gothiques).

• *Tristan et Yseut (Les premières versions européennes)*, édition publiée sous la direction de Christiane Marchello-Nizia, Paris, Gallimard, Bibliothèque de la Pléiade, 1995.

Pour lire les autres *Lais* de Marie de France : édition et traduction de Laurence Harf-Lancner, Paris, Lettres Gothiques, 1992.

On peut lire la légende de Tristan et Iseut dans des reconstitutions dues à des adaptateurs modernes :

• Joseph Bédier, *Le Roman de Tristan et Iseut*, Paris, 1re édition 1900, réédition 1981 (collection 10/18).

• René Louis, *Tristan et Iseut*, Paris, Livre de Poche, 1972.

• André Mary, *Tristan et Iseut*, Paris, Gallimard, 1941, réédition 1973 (Coll. « Folio »).

Études critiques

• Emmanuèle Baumgartner, *Tristan et Iseut (De la légende aux récits en vers)*, Paris, PUF, 1987.

• Marie-Noëlle Lefay-Toury, *La Tentation du suicide dans le roman français du XIIe siècle*, Paris, Champion, 1979.

• Jean-Charles Payen, « Lancelot contre Tristan : la conjuration d'un mythe subversif », *Mélanges Pierre Le Gentil*, Paris, 1973, pp. 617-632.

Sur le « Lai du Chèvrefeuille »

- Philippe Ménard, *Les Lais de Marie de France*, Paris, PUF, 1979.

- Edgard Sienart, *Les Lais de Marie de France : du conte merveilleux à la nouvelle psychologique*, Paris, Champion, 1978.

Manuel

Pour situer le *Roman de Tristan* dans la littérature médiévale :

- Michèle Gally et Christiane Marchello-Nizia, *Littératures de l'Europe médiévale*, Magnard, Paris, 1985.

Filmographie et discographie

- *L'Éternel Retour*, de Jean Cocteau et Jean Delannoy, 1943.

- *Tristan et Iseut (Une légende du Moyen Âge en musique et en poésie),* The Boston Camerata, Joel Cohen. Textes et mélodies du Moyen Âge.

Direction de la collection : Carine Girac-Marinier.
Direction artistique : Emmanuelle BRAINE-BONNAIRE.
Dessin de couverture : Alain BOYER.
Responsable de fabrication : Marlène DELBEKEN.

Compogravure : P.P.C. – Impression : Rotolito Lombarda (Italie).
Dépôt légal : Janvier 2009 – 302894 – N° de projet : 11010807 – octobre 2010.